LA FÊTE
DU POTIRON

AGATHA CHRISTIE

LA FÊTE DU POTIRON

Traduit de l'anglais par Claire Durivaux

LIBRAIRIE DES CHAMPS-ÉLYSÉES

Ce roman a paru sous le titre original :

HALLOWE'EN PARTY

A P.G. Wodehouse dont les histoires et les livres m'ont amusée et ont ensoleillé mon existence et pour le remercier de m'avoir dit qu'il avait plaisir à me lire.

CHAPITRE PREMIER

Mrs. Ariadne Olivier avait offert d'accompagner son amie Judith Butler, chez laquelle elle passait quelques jours, pour préparer une fête enfantine qui devait se dérouler dans la soirée.

Pour l'heure, la salle où aurait lieu la reception était envahie par un essaim de femmes affairées qui allaient et venaient portant des chaises, des petites tables, des vases fleuris et des potirons jaunes qu'elles plaçaient dans des coins soigneusement choisis où ils seraient en évidence.

On s'apprêtait à fêter la veille de la Toussaint et l'âge des invités variait entre dix et dix-sept ans.

Mrs. Olivier se détacha du groupe en effervescence et s'adossa à une cloison laissée libre pour contempler un potiron énorme dont elle ne savait que faire.

Rejetant une mèche grise sur son front proéminent, elle s'exclama :

— La dernière fois que j'ai vu de pareils fruits c'est l'année dernière aux Etats-Unis. Il y en avait partout. Je dois d'ailleurs avouer que je n'ai jamais su discerner la différence entre un potiron et une courge. Quelqu'un pourrait-il m'éclairer là-dessus ?

— Je vous demande pardon, ma chère, l'interrompit Mrs. Butler en buttant contre son amie.

Mrs. Oliver s'effaça.

— C'est de ma faute. Au lieu de me rendre utile, je gêne tout le monde. Cependant, elle reprit imperturbable : Oui, je dois dire que j'en garde un souvenir inoubliable. Chaque maison et chaque magasin exposaient ces cucurbitacées accrochées au plafond ou vidées et éclairées de l'intérieur. C'est très impressionnant. Cependant, là-bas, ce n'est pas pour la Toussaint que l'on décore de cette façon les rues et les maisons mais pour le jour d'action de grâce qui tombe à la fin novembre, je crois.

Les travailleuses heurtant Mrs. Oliver au passage, étaient trop occupées pour écouter son babillage.

L'assistance se composait surtout de mères auxquelles s'étaient jointes une ou deux vieilles filles obligeantes. Les garçons de seize à dix sept ans se rendaient utiles en grimpant aux échelles ou sur des chaises pour suspendre les décorations, les potirons et les boules de verre aux couleurs gaies. Les jeunes filles se tenaient à l'écart et riaient sottement.

Mrs. Oliver se laissa tomber sur un sofa et reprit son monologue.

— Voyons, qu'est-ce qui vient après la fête des Morts ?

Personne ne lui répondit. Mrs. Drake, une belle femme d'entre deux âges qui offrait la soirée, déclara :

— J'ai décidé d'appeler cette réception qui, en fait, commémore la veille de la Toussaint, la soirée des « Plus de onze ans » car elle doit surtout réunir les enfants qui, cette année, terminent leurs études aux « Elms » pour partir vers d'autres collèges.

Ajustant son pince-nez, Miss Whittaker, professeur aux « Elms », collège local, crut bon de relever :

— Ce n'est pas tout à fait exact, Rowena. Rappelez-vous, nous avons supprimé les « Plus de onze ans » depuis quelque temps.

A ce moment, Mrs. Oliver se redressa et promena son regard alentour.

— Que puis-je faire pour me rendre utile ? Quelles jolies pommes, vous avez là ! s'exclama-t-elle en fixant avec envie une coupe pleine de fruits rouges que l'on apportait.

— Elles ne sont pas très bonnes, avoua Rowena Drake, mais elles donneront une note gaie à la soirée. Je les réserve pour le jeu qui consiste à les pêcher avec les dents dans un seau rempli d'eau. Elles sont tendres et les joueurs n'auront pas de mal à les mordre. Voulez-vous les porter dans la bibliothèque, Béatrice ? Le tapis y est usé et ne craindra pas les flaques qui ne manqueront pas de se répandre autour du récipient. Vous vous en chargez, Joyce ? Merci.

Joyce, une fillette robuste d'une dizaine d'années, prit la coupe et dans son geste, deux pommes roulèrent au sol pour s'arrêter comme par magie aux pieds de la romancière.

— Vous aimez les pommes, n'est-ce pas ? fit Joyce. Je l'ai lu dans une revue ou entendu dire à la télévision. C'est bien vous qui écrivez des histoires policières ?

— Parfaitement.

— Nous aurions dû mettre sur pied ce soir une de vos distractions favorites : par exemple, vous charger de mettre en scène un crime et demander aux invités de le résoudre.

— Non, merci. Plus jamais !

— Que voulez-vous dire par cela ?

— Eh bien ! je me suis prêté une fois à ce jeu, mais je n'y ai pas obtenu le succès escompté.

— Cependant, insista Joyce, vous avez écrit beaucoup de livres et cela vous rapporte sans doute pas mal ?

— Peut-être, répondit l'écrivain, additionnant mentalement le montant de ses impôts.

— Et vous avez créé un personnage finlandais, un détective.

Mrs. Oliver admit le fait. Un garçon flegmatique demanda :

— Pourquoi un Finlandais ?

— Ma foi, je ne sais pas.

Mrs. Hargreaves, la femme de l'organiste, entra essoufflée, avec un seau en plastic vert.

— Cela ferait-il l'affaire pour le jeu des pommes ?

L'assistante du médecin, Miss Led, intervint :

— Un récipient galvanisé conviendrait mieux, les enfants le renverseraient moins facilement.

— Bien. Tenez, Rowena, j'ai aussi apporté un panier de pommes.

— Mettez-le dans la bibliothèque avec les autres, voulez-vous ?

— Je vais vous aider, proposa Mrs. Oliver.

Elle ramassa les deux pommes tombées à ses pieds et machinalement en porta une à sa bouche pour y mordre à belle dents. Mrs. Drake lui retira la seconde pomme qu'elle replaça parmi les autres.

Dans un coin de la salle, une conversation éclata bruyamment.

— Oui, mais où installerons-nous le jeu du *Snap-drago* ?

— La bibliothèque serait ce qu'il y aurait de mieux, c'est la pièce la plus sombre.

— Non, je préfère la salle à manger, protesta Mrs. Drake. Nous protégerons la table avec une nappe de feutre et un tapis de caoutchouc.

— Et le jeu des miroirs ? Est-il vrai que la réflexion nous révélera le visage de notre futur mari ?

Tout en continuant à grignoter sa pomme, Mrs. Olivier enleva ses chaussures et se laissa retomber sur le sofa. Elle jugea l'assemblée d'un coup d'œil objectif et se demanda comment elle s'y prendrait s'il lui fallait écrire un livre sur les personnes présentes. Des gens charmants, mais qui sait... Dans un sens il lui plaisait assez de ne rien connaître d'eux. Tous vivaient à Wood-leigh Common et Judith lui avait fourni quelques détails concernant l'un et l'autre. Par exemple, Miss Johnson était parente avec le vicaire... non, elle était la sœur de l'organiste. Rowena Drake passait pour quelqu'un d'important dans le village et elle y faisait, paraît-il, plus ou moins la loi. Des enfants, elle ignorait tout, sauf leurs prénoms. Il y avait Nan, Béatrice, Cathie, Diana et Joyce, la fillette qui lui avait parlé. Cette petite semblait très contente d'elle et posait beaucoup de questions. Mrs. Oliver la trouvait antipathique. Une grande fille assez pimbêche, Ann, faisait bande à part avec deux adolescents qui donnaient l'impression d'avoir récemment livré leurs chevelures à des expériences désastreuses.

Un garçon, chétif et timide, surgit, essoufflé et tendit quelques miroirs à Mrs. Drake.

— Maman vous les envoie en espérant qu'ils feront l'affaire.

— Merci, Eddy.

Ann protesta :

— Ce ne sont que des miroirs de poche ordinaires. Pourrons-nous vraiment y voir le visage de notre futur mari ?

— Certaines d'entre vous y réussiront, d'autres pas, répliqua Judith Butler.

— J'ai lu un de vos livres, fit Ann à l'adresse de Mrs. Oliver : *The Dying Goldfish* (1). Ce n'était pas mal du tout.

Joyce intervint aussitôt :

— Moi, il ne m'a pas plu ! il n'y avait pas assez de sang. J'aime les crimes sanglants.

Mrs. Oliver hasarda :

— Vous ne trouvez pas que cela fait un peu vulgaire ?

— C'est excitant, au moins !

— Pas nécessairement.

— Savez-vous que j'ai eu l'occasion d'assister en spectatrice à un vrai meurtre ?

(1) La mort du poisson rouge.

— Ne dites donc pas de bêtises, Joyce, coupa Miss Whittaker, l'institutrice.

— C'est vrai, je vous le jure !

Cathie regarda sa compagne, les yeux ronds.

— Vraiment, Joyce ? Un crime pour de bon ?

— N'écoutez pas ce que raconte cette petite sotte, s'excama Mrs. Drake.

— J'étais présente, je ne vous mens pas !

Un adolescent, perché sur une échelle, interrompit son travail pour questionner :

— Quel genre de meurtre, Joyce ?

— Je ne crois pas un mot de cette histoire-là, lança Béatrice.

La mère de Cathie renchérit :

— Elle l'a inventée, pour se rendre intéressante !

— C'est faux !

Cathie demanda :

— Dans ce cas, pourquoi n'es-tu pas allée prévenir la police ?

— Parce que sur le moment, je ne savais pas qu'un crime se commettait. Ce n'est que bien plus tard que je l'ai réalisé. Une remarque de quelqu'un, il y a un mois ou deux, m'a brusquement fait comprendre que j'avais été témoin d'un meurtre.

— Vous voyez bien qu'elle invente, commenta Ann. C'est complètement stupide !

Béatrice insista :

— Quand ce crime a-t-il eu lieu ?

— Oh !... il y a des années. J'étais très jeune, à l'époque.

— Qui a tué qui ?

— Je ne vous dirai plus rien, puisque personne ne me croit !

Miss Lee créa une diversion en apportant un seau galbanisé et chacun donna son opinion sur celui des deux, en plastic ou galvanisé, qui conviendrait le mieux pour le jeu des pommes. On se rendit dans la bibliothèque pour choisir l'endroit où devrait se dérouler l'épreuve et les plus jeunes membres présents insistèrent pour procéder sur-le-champ à une démonstration. Des têtes furent mouillées, le tapis éclaboussé et des serviettes circulèrent pour réparer les dégâts. A la fin, il fut décidé que le seau galvanisé remplirait mieux son rôle que le récipient en plastic trop instable.

Mrs. Oliver apporta un nouveau panier de pommes pour remplacer celles qui venaient de servir aux récents ébats et elle ne put résister au plaisir de chiper encore un fruit. Alors qu'elle s'apprêtait à y mordre la voix moqueuse d'Ann s'éleva dans son dos :

— Décidément vous aimez beaucoup les pommes.

— C'est mon péché mignon, je l'avoue.

Puis gênée par cette accusation publique, Mrs. Oliver battit en retraite vers le hall où elle décida d'aller se rafraîchir le visage et les mains. Elle s'engagea dans l'escalier situé au fond de l'entrée et qui, à mi-hauteur, comprenait un petit palier sur lequel s'ouvrait la porte de la salle de bain, avant de tourner à angle droit pour grimper vers le premier étage. L'entrée de la salle d'eau était bloquée par un couple enlacé qui ne bougea pas à l'approche de l'intruse. Il s'agissait d'un garçon de dix-sept ans et d'une fillette qui, bien que jeune, avait un corps déjà très épanoui.

Vexée de leur sans-gêne, Mrs. Oliver se dit que la nouvelle génération témoignait de peu de considération pour ses aînés mais elle dut admettre avoir maintes fois entendu cette remarque autour d'elle durant sa propre jeunesse..

— Excusez-moi, je voudrais passer.

Le couple s'effaça à contrecœur.

CHAPITRE II

Organiser une soirée enfantine exige bien souvent plus de préparation qu'une soirée pour adultes, car si pour les jeunes il faut sans cesse trouver des idées amusantes et nouvelles, on satisfait toujours ses hôtes en présentant une bonne table et un bar bien garni. Cela coûte sans doute plus cher, mais vous vous évitez beaucoup de travail. Ainsi pensaient Ariadne Oliver et son amie Judith Butler.

— Je me demande comment se préparent les soirées que donnent les adolescents, fit Judith.

— Ma foi, je ne sais pas.

— A mon avis, ce sont les moins compliquées. Les adultes en sont exclus et les jeunes offrent de tout prendre en main.

— Tiennent-ils parole ?

— Pas dans le sens où nous l'entendons. Ils oublient de s'approvisionner en aliments indispensables et achètent des montagnes de mets immangeables auxquels personne ne touche. Ils cassent beaucoup de verres et de vaisselle et il se trouve souvent un indésirable, vous savez, celui qui arrive les poches pleines de drogues qu'il distribue à la ronde sous forme de cigarettes, pilules et de tout ce qui se vend au marché noir.

— Tout cela est bien déprimant.

— En tout cas, ne vous inquiétez pas. Cette soirée enfantine sera réussie car on peut avoir confiance en Rowena pour tout organiser à la perfection.

La romancière soupira :

— Je n'ai cependant pas le moindre désir de m'y rendre.

— Allez vous étendre une heure et vous verrez, lorsque vous serez sur place, vous ne regretterez pas d'être venue. Il est dommage que Miranda ait un peu de fièvre. Elle est tellement déçue de ne pouvoir être de la fête, la pauvre enfant.

La soirée commença à sept heures trente et se déroula très bien, comme l'avait prédit Judith. Les invités furent ponctuels. Tout marcha à merveille parce que tout avait été soigneusement prévu, organisé. Dans le hall, des éclairages bleus et rouges suivaient la montée des escaliers jusqu'à l'étage et partout, le fameux potiron jaune suspendu ou posé sur les meubles, trônait en vedette. La plupart des jeunes apportèrent des balais décorés qui devaient être présentés, en un concours, à un jury.

Après avoir accueilli son monde, Rowena Drake annonça le programme de la soirée.

— D'abord, le concours des balais avec premier, deuxième et troisième prix pour les mieux décorés, ensuite découpage du gâteau de farine dans la petite serre, plus tard, le jeu des pommes dans la bibliothèque où vous trouverez la liste des équipes que j'ai déjà sélectionnées. Ensuite, il y aura de la musique, au cours de laquelle les danseurs, à l'extinction des lumières, changeront de partenaire. Les filles se réuniront dans le petit salon où elles recevront leur miroir avant le souper suivi du jeu du *Snapdragon*. Enfin, pour clôturer la fête, la distribution des prix.

Comme au début de toute soirée, les jeunes se laissèrent entraîner sans grand enthousiasme. Les balais, assez hétéroclites et, pour la plupart, mal décorés, furent cependant, admirés complaisamment.

— Je préfère que les enfants ne se soient pas trop excités là-dessus, chuchota Mrs. Drake à ses voisines. Nous pourrons ainsi favoriser ceux qui n'ont aucune chance d'obtenir d'autres prix au cours de la soirée.

— Ce n'est pas très juste, Rowena.

— Ma foi, l'important est que tout le monde s'en aille heureux d'avoir gagné au moins un prix.

— En quoi consiste le jeu du gâteau de farine? s'enquit Ariadne Oliver.

— On remplit un gobelet de farine en le tassant et après l'avoir retourné sur un plateau, on y dépose une pièce de six pence. Chacun coupe une tranche de farine en essayant de ne pas faire glisser la pièce et les malchanceux sont éliminés jusqu'au dernier qui garde la pièce. Allez, les enfants, commençons!

A ce signal, l'assemblée se dispersa en groupes joyeux. Des cris excités parvinrent de la bibliothèque où se déroulait le jeu des pommes et les concurrents sortirent bientôt les cheveux et les vêtements mouillés.

Le jeu le plus aimé des filles, était celui des miroirs. Mrs. Goodbody, une femme de ménage du voisinage, s'était proposée comme sorcière; en plus de son nez naturellement crochu qui rejoignait presque son menton, elle prit une voix caverneuse et sinistre pour psalmodier des formules magiques.

— Venez, petite. Vous vous appelez Béatrice, n'est-ce pas? Ah!... votre nom est intéressant. Ainsi, vous voulez apprendre comment sera votre futur mari, ma belle? Asseyez-vous ici juste sous cet éclairage et tenez ce miroir dans vos mains. Lorsque la lumière s'éteindra, vous apercevrez l'homme de votre vie. Il regardera par-dessus votre épaule. Tenez le miroir bien ferme.

Soudain un éclair jaillit de derrière un paravent et illumina un des panneaux de la pièce, soigneusement choisi, qui se refléta dans le miroir que tenait la fillette tremblante.

— Oh ! je l'ai vu ! je l'ai vu !

La lumière revint et une photo en couleurs collée sur une carte se détacha du plafond pour voltiger lentement et tomber aux pieds de Béatrice qui sauta de joie.

— C'est bien lui ! Quelle magnifique barbe rousse encadre son visage !

Elle se précipita vers Mrs. Oliver, sa voisine la plus proche.

— Regardez ! Ne trouvez-vous pas qu'il est merveilleux ? Il ressemble beaucoup à Eddie Presweigh, le chanteur de « pop ».

Mrs. Oliver estimait qu'il ressemblait plutôt aux photos qui ornaient trop souvent la première page des quotidiens. La barbe était incontestablement une idée géniale.

— D'où vient cette reproduction ?

Une voisine lui répondit :

— Rowena a demandé ce service à Nicky qui, avec son ami Desmond, se passionne pour les travaux photographiques. Avec des copains, ils se sont déguisés, s'affublant de perruques, barbes et autres accessoires. Le résultat, comme vous le voyez, rend les filles folles de joie.

— Je ne puis m'empêcher de penser qu'à l'heure actuelle, les filles sont vraiment bébêtes.

— Ne l'ont-elles pas toujours été ? rétorqua Rowena.

Après réflexion, Ariadne Oliver dut admettre qu'elle avait sans doute raison.

— A présent, passons à table ! lança Mrs. Drake.

Le repas eut un grand succès ; gâteaux décorés de sucre glacé, canapés, crevettes, fromage et fruits confits, les enfants n'en laissèrent rien. Après cette collation, Rowena déclara :

— Et maintenant, la dernière attraction de la soirée, le *Snapdragon*. Mais d'abord, suivez-moi tous dans le boudoir pour la distribution des prix.

Chacun reçut un petit souvenir et dans un cri de

ralliement, la troupe se précipita à nouveau dans la salle à manger.

Les restes du repas avaient disparu. Au milieu de la table recouverte de feutre, trônait un plat immense où une montagne de raisins secs flambait dans du cognac. On se pressa, se bousculant pour attraper le plus de fruits encore brûlants. Petit à petit, les flammes bleues disparurent et le plat vidé, les lumières furent rallumées. La soirée venait de prendre fin.

— Ce fut un grand succès, remarqua Mrs. Drake rayonnante.

— Vous vous êtes assez donné de mal pour cela.

— C'était parfait. Tous mes compliments, Rowena, dit Judith qui ajouta : Si nous mettions un peu d'ordre pour ne pas laisser trop de travail aux femmes de ménage, demain matin ?

CHAPITRE III

Dans un appartement londonien, le téléphone sonna. Hercule Poirot s'agita dans son fauteuil. Il devina, avant même de savoir qui l'appelait, que son ami Solly avec lequel il devait passer la soirée pour confronter leurs théories respectives quant à l'affaire du bain Municipal de Canning Road et tenter d'en découvrir l'auteur, se décommandait.

— Il a sans doute un bon rhume, se dit Poirot, et il y a des chances pour qu'en dépit de tous les médicaments que j'ai sous la main, il me l'aurait passé. Il vaut donc mieux, tout compte fait, qu'il ne vienne pas. *Tout de même* (1), à cause de ce contretemps, je vais vivre une bien morne soirée.

Il reconnut cependant que depuis qu'il avait pris sa retraite, la plupart de ses soirées se déroulaient, monotones. Son esprit (qu'il tenait pour exceptionnel) exigeait une stimulation extérieure continue. Poirot ne possédait pas un tempérament de philosophe. Parfois, il regrettait de ne pas avoir, dans sa jeunesse, orienté ses études vers

(1) En français dans le texte.

la théologie plutôt que s'être engagé dans la criminologie. Il aurait aimé se lancer avec des confrères, dans de longues discussions touchant des problèmes encore jamais résolus.

Son domestique, George, entra discrètement.

— Mr. Solomon Levy a téléphoné à Monsieur.

— Ah ! oui ?

— Il regrette beaucoup de ne pouvoir vous rencontrer ce soir. Il est couché avec une mauvaise grippe.

— Il n'a pas la grippe, George, mais seulement un méchant rhume. Tout le monde croit avoir la grippe. Cela impressionne et suscite la sympathie apitoyée des bien-portants.

— Il vaut cependant mieux qu'il ne vienne pas, Monsieur. Ces rhumes sont contagieux. Il ne vous vaudrait rien d'en attraper un.

Poirot fut de cet avis. La sonnerie du téléphone retentit de nouveau.

— Et maintenant, qui va nous annoncer qu'il est enrhumé ? Je n'attendais pourtant point d'autre visiteur !

George battit en retraite, mais Poirot le retint.

— Je prendrai la communication ici. Je doute que ce soit important, mais enfin... il haussa les épaules. Cela m'aidera à passer le temps. Qui sait ?

George se retira et Poirot prit le combiné.

— Hercule Poirot à l'appareil, lança-t-il, appuyant sur les mots pour impressionner son correspondant.

— Quelle chance ! s'exclama une voix de femme, essoufflée. J'étais presque sûre que vous ne seriez pas chez vous.

— Et pourquoi donc ?

— Parce que, de nos jours, les événements semblent prendre un malin plaisir à nous décevoir. On a besoin de quelqu'un sans délai et il faut attendre. Je tiens absolument à vous parler et le plus vite possible.

— Et à qui ai-je l'honneur ?

La voix se fit incrédule.

20

— Ne vous en doutez-vous donc pas ?

— Oh ! si !... pardon ! Vous êtes mon amie Ariadne Oliver.

— Et je suis dans tous mes états !

— Je le devine. Auriez-vous couru ? Vous paraissez hors d'haleine.

— L'émotion ! Puis-je venir tout de suite ?

Poirot hésita. Mrs. Oliver semblait fort excitée et quoi qu'il ait pu lui arriver, elle se perdrait dans le récit de griefs personnels, de doléances, de frustrations de toutes sortes avant d'aborder le but réel de sa visite. Une fois installée dans le sanctuaire de Poirot, il serait sans doute difficile de l'en faire sortir sans manquer à la plus élémentaire courtoisie. Dans une discussion avec Ariadne, il fallait sans cesse veiller à ne pas aborder les sujets dont elle profitait pour vous entraîner dans un troubillon de paroles inutiles.

— Quelque chose vous a bouleversée, chère amie ?

— Evidemment ! Je ne sais que faire. Je m'y perds. J'ai seulement le sentiment que je dois tout vous raconter. Vous êtes la seule personne susceptible de me conseiller. Puis-je venir, oui ou non ?

— Mais certainement. Je serai ravi de vous recevoir.

Le combiné fut brutalement reposé au bout du fil. Poirot appela George, réfléchit un instant avant de commander une tisane d'orge, un citron pressé et un verre de cognac, pour lui.

— Mrs. Oliver arrivera dans dix minutes, environ.

George disparut et revint avec le cognac dont Poirot but une petite gorgée, prenant ainsi des forces pour l'épreuve qu'il devait bientôt affronter.

— Il est regrettable, murmura-t-il, qu'elle soit de tempérament aussi instable. Elle ne manque pas d'idées originales.

La sonnerie de la porte d'entrée se fit entendre, non pas une simple pression, mais un appel prolongé qui exprimait le désir évident de produire le maximum de bruit.

— Elle est effectivement énervée, estima Poirot.

Il entendit George ouvrir, mais avant que le domestique n'ait eu le temps d'annoncer la visiteuse, celle-ci entrait dans le salon.

— De quoi diable êtes-vous affublée ? s'exclama Hercule Poirot. Laissez George vous en débarrasser ! Vous ruisselez, ma parole !

— Le contraire serait étonnant, puisqu'il pleut !

Poirot l'observa avec intérêt.

— Prendrez-vous une boisson rafraîchissante ou vous persuaderai-je de goûter un petit verre d'eau-de-vie ?

— Je déteste tout ce qui a rapport à l'eau.

Son ton véhément surprit Poirot.

George qui venait d'enlever le manteau trempé, quitta la pièce alors que Poirot demandait :

— Où avez-vous trouvé un pareil vêtement ?

— En Cornouaille. Il est merveilleux, n'est-ce pas ? Un vrai ciré de matelot.

— Très pratique pour un marin sans doute, mais peut-être un peu trop lourd pour vous ? Asseyez-vous et racontez-moi tout.

Se laissant choir dans un profond fauteuil, Mrs. Oliver soupira :

— Je ne sais comment vous expliquer.

— Racontez-moi, n'importe comment.

— Maintenant que je me trouve devant vous, je ne sais par où entamer mon récit !

— Par le commencement, ou jugez-vous cette méthode trop banale ?

— Ma foi, il se peut que l'histoire remonte assez loin dans le passé.

— Calmez-vous et essayez de rassembler dans votre esprit tous les détails que vous connaissez et confiez-les moi. Dites-moi, par exemple, ce qui a pu vous bouleverser à ce point ?

— Eh bien ! tout a débuté par une soirée !

— Bon, fit Poirot soulagé d'entendre parler d'un sujet aussi simple et sensé qu'une soirée. Donc, vous vous êtes rendue à une soirée et quelque chose d'anormal s'y est produit ?

A brûle-pourpoint, la romancière remarqua :

— Savez-vous qu'ici, on fête la veille de la Toussaint ?

— En effet, le 31 octobre. Son regard pétilla, alors qu'il enchaînait : C'est le jour où les sorcières s'envolent à cheval sur leur manche à balai.

— Il y avait, en effet, des balais, assez mal décorés d'ailleurs, bien qu'on leur ait attribué des prix d'honneur.

— ... Je ne comprends pas ?...

Le petit détective jeta un coup d'œil soupçonneux à sa compagne. Le soulagement qu'il avait d'abord ressenti à l'annonce du récit d'une soirée faisait place à de la perplexité. S'il n'avait pas été certain que Mrs. Oliver ne touchait jamais aux boissons alcoolisées, il aurait été enclin à croire qu'elle s'était laissée aller à boire un peu trop.

— Une soirée enfantine, précisa Mrs. Oliver. Ou plutôt pour les élèves de la « Plus de Onze ans ».

— Qu'est-ce que cela veut dire ?

— C'est une formule qui désigne un examen par lequel on juge de l'aptitude des écoliers de onze ans. Les plus brillants poursuivent leurs études secondaires, tandis que les autres sont orientés vers des collèges techniques. Cet examen a d'ailleurs été aboli bien que l'on s'y réfère encore.

— Je dois avouer que je ne vois pas très bien où vous voulez en venir.

Prenant une grande aspiration, Ariadne Oliver lança :

— Au vrai, tout a commencé avec les pommes.

— Ah ?... Evidemment, avec vous, les pommes jouent toujours un rôle primordial. Eh bien ! parlons donc des pommes !

— Le 31 octobre, le jeu des pommes est de tradition.

— Oui, je suis au courant.

— On organise également le jeu du gâteau de farine, celui des miroirs pour les jeunes filles...

— Et grâce auquel elles sont supposées découvrir le visage de leur compagnon de demain. Tout ça, dans le fond, c'est du folklore. Etait-ce donc cela votre soirée ?

— Oui, elle eut d'ailleurs un grand succès. La dernière attraction, le *Snapdragon* fut particulièrement spectaculaire. D'une voix mal assurée, elle ajouta : J'imagine que c'est dans le même temps que... ça s'est produit.

— Quoi donc ?

— Le meurtre ! Les jeux finis, tout le monde prit congé et c'est alors que nous avons constaté son absence.

— L'absence de qui ?

— De Joyce, une fillette. Nous l'avons appelée en essayant de nous rappeler où nous l'avions vue pour la dernière fois. Nous supposâmes qu'elle était partie avec des camarades. Sa mère, venue la chercher, exprima son mécontentement de ce que sa fille n'ait averti personne.

— Avait-elle décidé de rentrer toute seule chez ses parents ?

— Elle n'était pas rentrée. Elle se trouvait dans la bibliothèque. Là où avait lieu le jeu des pommes... Le seau était encore au centre de la pièce, un grand seau galvanisé rempli d'eau...

— Mais enfin, que s'est-il produit ?

— Nous avons découvert Joyce, la tête dans l'eau, parmi les pommes. Elle se tenait encore à genoux dans l'attitude du joueur qui cherche à saisir un fruit avec les dents. On l'avait maintenue ainsi jusqu'à ce qu'elle fût noyée. Noyée dans un seau... — Avec un frisson, la romancière cria, véhémente : A présent, je déteste les pommes, monsieur Poirot ! Jamais plus, je ne pourrai les regarder avec plaisir !

Le détective la fixa, puis tendant soudain la main, il saisit un petit verre laissé à sa portée, le remplit de cognac et l'offrit à sa compagne, en ordonnant :

— Buvez. Cela vous fera du bien.

CHAPITRE IV

Mrs. Oliver avala d'un trait le contenu du verre et sourit à Poirot.

— Vous avez raison. C'est fort, mais je me sens mieux. Je devenais folle !

— Vous avez reçu un choc, chère madame. Quand cela s'est-il produit ?

— Hier soir.

— Et vous avez décidé de venir me voir... Pourquoi ?

— J'ai pensé que vous pourriez tenter quelque chose. Ce n'est pas aussi simple qu'on pouvait le croire.

— Peut-être... Cela dépend... Il me faudrait plus de détails. Je suppose que la police a été informée. Un médecin a sans doute constaté le décès. Quel a été son verdict ?

— L'enquête doit être ouverte, demain ou après-demain.

— Naturellement. Cette Joyce, quel âge avait-elle ?

— Douze ou treize ans. Je ne sais exactement.

— Etait-elle chétive ?

— Non, plutôt robuste.

— A votre avis, avait-elle du sex-appeal ?

— Sans doute, mais je suis persuadée qu'il ne faut pas chercher dans cette direction le motif du crime, sinon je ne pense pas que la victime serait morte dans de telles conditions.

— C'est pourtant le genre de meurtre dont on lit quotidiennement le compte-rendu dans les journaux. Chère amie, j'ai le sentiment que vous ne m'avez pas révélé tout ce que vous savez. Cette Joyce, vous la connaissiez bien ?

— Pas du tout. Mais je ne vous ai pas encore expliqué ma présence à Woodleigh Common.

Poirot hocha pensivement la tête.

— Woodleigh Common... Il me semble que ces temps derniers...

Comme il n'achevait pas, Mrs. Olivier reprit :

— Ce n'est pas très loin de Londres, enfin à moins de quarante miles, et très proche de Medchester. L'agglomération se compose de quelques belles propriétés. Malheureusement, le site est enlaidi peu à peu par des constructions modernes. La petite ville conserve cependant son cachet résidentiel, favorisé par une bonne école et les autochtones y mènent une existence confortable. En conclusion, je dirai que l'on retrouve Woodleigh Common dans bien des coins de l'Angleterre.

— C'est curieux, j'ai le sentiment d'avoir déjà entendu ce nom.

— Je séjournais chez une amie qui habite le village, Judith Butler. Elle est veuve et nous avons sympathisé au cours d'une croisière en Grèce, l'été dernier. Elle a une fillette, Miranda, qui a douze ou treize ans. C'est au cours de mon passage chez elle que nous avons été invitées à cette soirée enfantine. Judith pensait que j'aurais des suggestions intéressantes à faire touchant l'organisation de la soirée.

— Ah !... Elle ne vous aurait pas demandé de mettre en scène une « murder party » par hasard ?

— Allons, monsieur Poirot, croyez-vous que j'accepterais de me prêter à nouveau à ce genre de distraction macabre ? Et pourtant, le plus terrible c'est que c'est tout de même arrivé. Pensez-vous que ma présence en ait été la cause ?

— Cela m'étonnerait. Mais, sait-on jamais ? Quelqu'un des assistants connaissait-il votre identité ?

— Un des enfants a, en effet, fait allusion à mes livres et admis son penchant pour les romans policiers. Cela a d'ailleurs déclenché la discussion dont je veux vous entretenir : à vrai dire, sur le moment, je n'y ai pas attaché d'importance. Les jeunes ont parfois des réaction bizarres. S'il y avait plus de place dans les asiles ou les maisons de redressement, bien des jeunes délinquants ne seraient pas laissés en liberté.

— Y avait-il de tels jeunes gens à cette soirée ?

— Deux, dont l'âge se situe entre seize et dix-sept ans.

— L'un de ceux-ci aurait donc pu faire le coup ? Est-ce là l'opinion de la police ?

— La police se garde toujours de faire connaître ses impressions, mais son attitude semblerait l'indiquer.

— Cette Joyce, comment était-elle ?

— Plutôt vulgaire. Elle se vantait beaucoup et en « installait ». Un âge difficile.

— Combien d'invités à cette soirée ?

— Cinq ou six femmes, des mères accompagnant leurs enfants, l'institutrice, la sœur ou la femme du médecin, un couple d'âge mûr, les deux garçons dont je vous ai parlé, une jeune fille de quinze ans et deux ou trois autres plus jeunes. En tout, une trentaine de personnes.

— Se connaissaient-elle toutes ?

— Plus ou moins. Les fillettes fréquentaient la même école. Deux femmes de ménage du voisinage avaient offert leurs services. La soirée terminée, les mamans se retirèrent avec leur progéniture, tandis que Judith et moi restions pour aider Rowena à mettre un peu d'ordre.

Lorsque nous eûmes découvert Joyce, je me suis souvenue d'une remarque qu'elle avait faite au cours de l'après-midi.

— Nous y voilà !

— Je n'ai pas touché mot au médecin, pas plus qu'aux policiers, mais j'ai pensé que pour vous, ce fait aurait peut-être de l'importance. Tandis que nous mettions en place les décorations, quelqu'un a parlé de mes livres et Joyce nous a brusquement déclaré qu'elle avait été témoin d'un meurtre. Personne ne l'a crue, mais elle a persisté dans son propos.

— Et vous, avez-vous prêté foi à ses dires ?

— Bien sûr que non !

— Je vois... Le petit détective pianota pensivement sur la table. Je vois... Elle n'a fourni aucun nom, aucun détail ?

— Non, elle s'est entêtée parce que, d'une part, ses compagnes se moquaient d'elle et que, d'autre part, les adultes commençaient à être fatigués de son babillage. A la question « Quand cela s'est-il passé ? » elle a répondu d'un ton vague : « Il y a des années. »

— Intéressant...

— On lui a demandé pourquoi elle n'avait pas confié ce qu'elle savait à la police, ce à quoi elle a répondu : « Parce qu'à l'époque, je ne me doutais pas qu'il s'agissait d'un crime. »

— Une remarque pour le moins curieuse.

— Devant l'insistance de son public plus amusé que convaincu, elle répéta plusieurs fois ces paroles et crut bon de préciser : « Ce n'est que bien plus tard que j'ai compris. » Tout comme nous, je suis sûre que vous ne l'auriez pas crue, mais lorsque je l'ai vue morte, je me suis demandé si, après tout, son histoire n'était pas véridique.

Poirot hocha gravement la tête et après s'être recueilli un instant, articula lentement :

— Je vais vous poser une question. Avant d'y répondre, prenez bien le temps d'y réfléchir. Cette petite vous a-t-elle donné l'impression qu'elle avait été réellement présente sur le théâtre d'un crime ou bien qu'elle s'était persuadée d'avoir surpris un acte criminel ?

— Sur le moment, j'ai pensé qu'elle se rappelait une altercation entre deux poivrots, et qu'elle l'enjolivait pour se rendre intéressante, pour intriguer son entourage.

— Mais...

— Mais, maintenant qu'elle a été assassinée, force m'est de conclure qu'elle est morte parce qu'elle avait bel et bien été témoin d'un meurtre.

— Cela supposerait donc qu'une personne présente à la soirée avait été mêlée à ce premier meurtre et a réalisé le danger que les racontars de la fillette pouvaient lui faire courir.

— Vous ne pensez donc pas que j'ai imaginé tout cela, monsieur Poirot ? que je me suis laissée entraîner par mon imagination trop fertile ?

Omettant de lui répondre directement, Poirot enchaîna :

— Une fillette a été tuée par un individu assez robuste pour lui maintenir la tête dans un seau rempli d'eau. Un crime répugnant et qui semblerait prouver que l'assassin devait agir vite. Affolé, il a sauté sur la première occasion qui s'offrait à lui.

Après un moment de réflexion, Ariadne Oliver précisa :

— Joyce ne pouvait être au courant de l'identité du meurtrier, sinon elle ne se serait pas exprimée comme elle l'a fait sachant que le criminel l'écoutait.

— Vous avez parfaitement raison. Elle a vu le crime sans apercevoir le visage du tueur. Il nous faut aller plus loin.

— Pardonnez-moi, je ne vous suis pas très bien.

— Il se peut que quelqu'un dans l'assemblée, ayant entendu les paroles de Joyce, ait été au courant du meurtre auquel elle se référait sans pour cela en avoir été l'auteur ; un parent ou un complice, peut-être, et qui a jugé nécessaire de l'éliminer. Oh !...

— Qu'avez-vous ?

— Je viens juste de me rappeler pourquoi ce nom de Woodleigh Common me semblait familier.

CHAPITRE V

Hercule Poirot s'immobilisa, essoufflé, près de la petite barrière blanche livrant accès à la modeste propriété « La Cime des Pins ». Il contempla la jolie maison de style moderne, bien assise au milieu d'un coquet jardin et située au haut d'une colline parsemée çà et là de pins longs et maigres. Les yeux du curieux se posèrent sur un vieux gentleman occupé à arroser une allée herbeuse.

La chevelure du Superintendant Spencer avait blanchi et sa silhouette semblait légèrement plus voûtée qu'autrefois.

Parvenu au bout de l'allée, le jardinier leva les yeux et aperçut le visiteur immobile près de la barrière.

— Mais, ma parole... c'est mon ami, Hercule Poirot !

— Vous m'avez reconnu ? J'en suis flatté !

— Puissent vos magnifiques moustaches ne jamais changer !

Abandonnant son arrosoir, il s'approcha de la clôture.

— Qu'est-ce qui vous amène dans la région ?

— Ce qui en mon temps m'a entraîné en des endroits divers et qui, il y a de cela bien des années, vous a poussé à venir me trouver : en bref, une histoire de meurtre.

— J'en ai fini avec tout cela. Maintenant, je me contente de faire la chasse aux mauvaises herbes. Vous me surprenez les arrosant d'herbicide. Comment avez-vous réussi à dénicher ma retraite ? ajouta-t-il, en soulevant le loquet du portillon pour laisser passer Poirot.

— Vous m'avez envoyé une carte à Noël en me donnant votre nouvelle adresse.

— En effet, je me souviens. J'avoue que je suis un homme d'autrefois et j'aime rester en contact avec mes anciens collègues.

— Croyez que j'apprécie cette habitude.

— Je me fais vieux, Poirot...

— Moi aussi, mon bon.

— Je ne vous vois cependant pas beaucoup de cheveux gris ?

— Mon coiffeur veille à me les teindre régulièrement. Qu'est-ce qui vous a poussé à venir vous installer à Woodleigh Common ?

— Simplement le désir de tenir compagnie à une de mes sœurs. Veuve, ses enfants mariés et dispersés, elle trouvait sa maison trop grande pour une femme seule. En unissant le montant de nos pensions respectives, nous parvenons à vivre assez confortablement. Venez, nous serons mieux sous la véranda.

Spencer conduisit son invité vers une sorte de jardin d'hiver couvert et entouré de hautes vitres. On y avait disposé quelques sièges en rotin et de petites tables. Le soleil automnal éclairait agréablement cette plaisante retraite.

— Que puis-je vous servir à boire ? Je n'ai malheureusement pas grand-chose, mais je puis tout de même vous offrir de la bière ou demander à Elspeth de vous préparer une tasse de thé ? J'ai également du shandy, du coca-cola et si vous aimez le cacao, ma sœur en est friande.

— Vous êtes très aimable. Je crois que j'opterai pour un shandy. N'est-ce pas un mélange de bière et de gingembre ?

— Exactement.

Spencer disparut dans la maison pour reparaître bientôt en portant deux chopes remplies d'un liquide doré et pétillant. Il posa les boissons sur la table et prit place à côté de Poirot. Levant son verre, il annonça :

— Je ne boirai pas à mon passé, car j'en ai fini avec le crime et si, comme je le pense, votre présence chez moi est en rapport avec celui qui actuellement bouleverse la quiétude de notre petite ville, je puis vous dire tout de suite que ce genre de meurtre me répugne au plus haut point.

— Je vous comprends.

— Il s'agit bien de la fillette qu'on a noyée en lui plongeant la tête dans un seau ?

— C'est cela.

— Mais pourquoi venez-vous à moi ?

— Qui a été policier, restera toujours policier, mon cher Spencer.

— Il y a si longtemps que j'ai tout laissé tomber.

— Il vous est cependant encore possible de fourrer discrètement le nez dans une enquête et d'en observer la progression ?

— Peut-être, mais dites-moi, Poirot, vous ne m'avez pas confié ce que vous veniez faire dans cette affaire ? Je vous imaginais installé à Londres ? Vous l'étiez, à l'époque où nous travaillions ensemble.

— Je vis toujours à Londres et si je suis venu ici c'est à la demande d'une amie, Mrs. Oliver. Vous vous souvenez d'elle ?

. Spencer réfléchit un moment avant d'ajouter :

— Pardonnez-moi, je crains de l'avoir oubliée.

— Elle écrit des romans policiers. Vous l'avez rencontrée au moment de votre enquête sur le meurtre de Mrs. McGenty. Vous ne pouvez pas ne pas vous souvenir de l'affaire McGenty ?

— Grand Dieu non ! C'est bien vieux, pourtant...
Vous m'aviez d'ailleurs rendu un fameux service à cette
occasion.

— J'étais très flatté que vous fassiez appel à moi.

— Ariadne Oliver ! Je me souviens à présent. La
femme aux pommes !

— Elle était présente à la soirée enfantine.

— Se serait-elle fixée dans la région ?

— Non, elle était venue rendre visite à une amie,
Mrs. Butler.

— Celle-là, je la connais ! Elle habite non loin de
l'église. Une veuve dont le mari était pilote d'aviation. Il
lui reste une petite fille qui est bien mignonne, d'ailleurs. Mrs. Butler est belle femme, vous ne trouvez pas ?

— Je ne l'ai aperçue que quelques minutes, mais je
partage en effet votre opinion.

— Et vous, Poirot, qu'est-ce qui vous a poussé à
quitter votre retraite ?

— Ariadne Oliver. Elle a sollicité mon aide.

Un léger sourire joua sur les lèvres de Spencer.

— Au fond, c'est encore la même histoire. Moi aussi,
je suis venu vous trouver pour obtenir votre assistance.
Mais, franchement, je ne vois pas en quoi je puis vous
être utile ?

— Vous pourriez me faire gagner un temps précieux
en me renseignant sur les habitants de la ville et en
particulier sur ceux qui ont assisté à cette soirée enfantine. Je désire avoir une opinion sur tout et sur tous. Je
dois réussir à définir la personnalité de celui ou de celle
qui a pu approcher la fillette et la persuader de se prêter
au jeu des pommes sans éveiller ses soupçons quant à
ses intentions. Je puis déjà affirmer qu'il a facilement
gagné sa confiance et donc qu'il ne lui était pas inconnu.
J'estime que le crime lui-même a été commis très vite et
sans lutte.

— Une sale affaire. J'agirai de mon mieux pour vous
obtenir ce que vous me demandez. Je ne suis malheureu-

sement ici que depuis l'année dernière, mais il y a trois ans que ma sœur y est fixée. La population n'est pas trop importante, car les jeunes désertent de plus en plus pour émigrer vers les villes. Il nous reste cependant quelques fidèles concitoyens, dont Mrs. Emlyn, l'institutrice, le docteur Ferguson ainsi que plusieurs familles bien ancrées.

— Vous devez connaître les mauvais sujets qui excitent les ragots des ménagères ?

— Il me semble qu'il y a déjà eu, il y a longtemps de cela, une histoire d'enfant victime d'un maniaque, mais autant que je sache, rien de semblable ne s'est produit récemment aux environs de Woodleigh Common. Je sais qu'à la soirée qui vous intéresse se trouvaient deux jeunes garçons que la police a à l'œil : Nicolas Randsom, apparemment un bon gars de dix-sept ou dix-huit ans, originaire de l'Est-Anglia, il me semble, et qui paraît équilibré, mais qui peut dire... ? et Desmond, traité par un psychiatre pour des raisons n'ayant aucun rapport avec votre histoire. Cependant, il n'y a pas de doute, un meurtrier se dissimulait parmi les invités de cette soirée. Toutefois, on peut penser qu'il s'agit d'un étranger lequel se serait introduit dans la maison sans être remarqué. J'imagine que la porte d'entrée n'était pas verrouillée ou qu'une fenêtre donnant sur l'arrière du bâtiment avait été laissée entrouverte. Il reste que je ne vois pas comment il aurait réussi à persuader la fillette de procéder pour lui à une démonstration du jeu de pommes. Pour en revenir à vous, Poirot, je ne devine pas comment Mrs. Oliver vous a convaincu de prendre l'affaire en main ?

— Elle s'est contentée de me répéter certaines paroles prononcées par la fillette.

— Celle qui a été tuée ?

Intrigué, Spencer se pencha vers Poirot qui conta à son ami la visite de Mrs. Oliver. Lorsqu'il se tut, le retraité passa pensivement la main sur sa courte moustache.

— Joyce n'a donc pas précisé quand ce crime — dont elle avait été témoin — s'était déroulé ?

— Non.

— D'après ce que vous m'avez rapporté, cette gamine me donne l'impression d'avoir parlé pour chercher à se rendre intéressante, non ?

— C'est aussi l'impression qu'a éprouvée Mrs. Oliver.

— Peut-être a-t-elle tout inventé ?

— Je l'ai pensé un instant, mais n'oublions pas que, quelques heures plus tard, cette fillette est morte, assassinée. Dès lors, nous sommes presque obligés de croire à la véracité de ses déclarations. Le meurtrier a estimé n'avoir pas de temps à perdre.

— Evidemment.

— Je compte sur vous pour m'avoir des tuyaux sur les gens qui assistaient à la soirée.

— D'accord. La plupart des voisines sont sûrement au courant. En ce qui concerne la soirée, je suis déjà assez bien renseigné. Il y avait surtout des femmes. Cependant le docteur Ferguson s'y trouvait, ainsi que le vicaire et à part eux, des mères, des tantes, des vieilles filles, deux professeurs de l'école locale et à peu près une quinzaine d'enfants dont les plus jeunes atteignent à peine leur onzième année.

— J'imagine que vous pourrez aisément m'indiquer les personnes qui se seraient décommandées à la dernière minute ?

— Ce serait difficile si votre théorie s'avère véridique.

Il haussa les sourcils pour poursuivre :

— En fait, vous ne cherchez plus un maniaque, mais un criminel qui, après avoir réussi son coup, il y a des années, aura eu la désagréable surprise d'apprendre — de la bouche d'une enfant — que son méfait avait eu un témoin. Il m'est impossible de me représenter un de mes concitoyens dans un rôle aussi ignoble. Ce qui m'intrigue, c'est que Joyce, n'ait pas fourni plus d'explications sur ce sujet. Serait-il possible que le meurtrier ait conclu avec elle une sorte de marché pour qu'elle tienne sa langue ?

— Je ne pense pas. D'après les dires de Mrs. Oliver, Joyce n'avait pas pris conscience à l'époque d'avoir assisté à un meutre.

— Cela ne tient pas debout, voyons !

— Croyez-vous ? L'histoire est racontée par une fillette de douze ou treize ans, ayant enfoui dans sa mémoire le souvenir d'un crime qui s'est déroulé quelques années auparavant. Elle aura pu voir quelque chose sans en comprendre pleinement la signification, par exemple un accident de voiture dont le chauffeur aurait estropié ou même tué un piéton. Je dois vous confesser que bien des suggestions m'ont été présentées par Mrs. Oliver dont l'imagination ne connaît pas de limites. De toutes ses hypothèses, je retiens que quelque chose, un geste ou une parole imprudente, a pu déclencher les souvenirs de la fillette en l'éclairant sur les circonstances dudit accident.

— Et vous êtes ici pour enquêter sur des possibilités de ce genre ?

— Ce serait dans l'intérêt commun, vous ne trouvez pas ?

— Je vais voir ce que je puis tenter. J'intéresserai Elspeth à notre cause. Ma sœur est presque toujours au courant de ce qui se passe chez les autres.

CHAPITRE VI

Satisfait du résultat de sa visite, Poirot prit congé de son ami Spencer. Il avait réussi à intéresser l'ancien officier de police à l'affaire et au cours de sa longue carrière, Spencer s'était toujours montré d'une ténacité exemplaire dans ce qu'il entreprenait. Et puis, sa réputation d'autrefois au C.I.D. lui permettrait d'obtenir les confidences de la police locale qui menait l'enquête.

Poirot consulta sa montre et jugea qu'il serait ponctuel au rendez-vous que lui avait fixé Mrs. Oliver devant la maison de Mrs. Drake, « Les Pommiers ». Une coïncidence pour le moins ironique... Ces fruits reviendraient-ils donc toujours dans l'histoire ?

Suivant le chemin qu'on lui avait indiqué, le petit détective parvint bientôt à une villa en brique rouge de style géorgien, protégée par une rangée de hêtres bien taillés qui cernait un joli jardin entretenu avec soin.

Poussant le portillon de fer forgé sur lequel se lisait « Les Pommiers », le visiteur remonta l'allée menant à l'entrée principale au moment où la porte s'ouvrait pour livrer passage à Mrs. Oliver qui semblait mue par un de ces ressorts actionnant les personnages des horloges suisses.

— Je guettais votre venue de la fenêtre, s'écria l'écrivain en avançant à sa rencontre.

Poirot constata que pour la première fois depuis qu'ils se connaissaient, son amie ne tenait pas de pomme à demi mangée à la main. Il en fut soulagé à cause de la récente tragédie, bien qu'en son for intérieur il sût qu'il ne la chasserait de son esprit que le jour où il en aurait percé le mystère.

Prenant le détective par le bras, la romancière attaqua :

— Je ne comprends pas pourquoi vous refusez de venir vous installer chez Judith Butler, ni que vous puissiez préférer à son hospitalité, une pension de famille médiocre.

— Je tiens à mon indépendance afin de juger d'un œil objectif et sans aucune compromission.

— Comment y parviendrez-vous si vous avez décidé d'interroger une partie de la communauté ?

— C'est juste.

— Qui avez-vous déjà vu ?

— Mon ami, le Superintendant Spencer.

— Dans quel état est-il à présent ?

— Beaucoup plus vieux qu'autrefois.

— Je m'en doute, mais encore ?

— Ma foi, il a perdu un peu de poids et il porte des lunettes pour lire son journal. Autant que je sache, il n'est cependant pas atteint de surdité.

— Et quelle est son opinion sur l'affaire ?

— Vous allez trop vite, ma chère !

— Qu'avez-vous l'intention d'entreprendre, tous les deux ?

— Depuis ma visite chez Spencer dont j'espère obtenir certains renseignements que seul je pourrais difficilement glaner, je me suis dressé un emploi du temps très détaillé.

— Ces renseignements, vous pensez que Mr. Spencer réussira à les soutirer à la police locale ?

— Sans aller aussi loin, j'espère qu'il récoltera quelques tuyaux qui me permettront d'aller plus vite.

— Et qu'avez-vous fait encore ?

— Je suis venu à votre rendez-vous, car je tiens à jeter un coup d'œil sur le théâtre du crime.

Levant les yeux sur la jolie façade, Ariadne Oliver remarqua :

— On ne penserait jamais qu'un crime a été commis derrière ces murs, n'est-ce pas ?

— Non, évidemment. Après avoir examiné la pièce qui m'intéresse, j'aimerais que vous m'accompagniez auprès de la mère de la victime. Cet après-midi, Spencer m'aura fixé un rendez-vous avec l'inspecteur local, un Mr. Raglan. S'il me reste quelques loisirs, alors je me rendrai chez le médecin et la directrice d'école. A six heures, je suis de nouveau attendu chez Spencer pour prendre le thé et faire la connaissance d'Elspeth, sa sœur, afin que nous revenions tous trois sur notre conversation de ce matin.

— Que pense-t-il vous apprendre de neuf ?

— Sa sœur ayant vécu ici depuis plus longtemps que lui m'éclaira, je l'espère, sur les mœurs locales.

— Je l'espère aussi, et maintenant, venez que je vous présente à Mrs. Drake.

Poirot fut très impressionné par Mrs. Drake, une grande et belle femme portant bien la quarantaine, dont la chevelure dorée entremêlée de quelques fils argentés mettait en valeur des yeux bleus pétillants. Elle incarnait l'hôtesse idéale, toujours à l'aise au centre de ses réceptions.

Dans le petit salon où ils furent introduits, un café accompagné de biscuits attendait les visiteurs.

La maison, admirablement tenue, montrait des meubles cossus et des tapis de qualité. Une propreté scrupuleuse se retrouvait de pièce en pièce.

Mrs. Drake, par son attitude, semblait vouloir dissimuler ce que Poirot devinait être une sorte d'humiliation, celle de la maîtresse de maison forcée de constater que sa dernière soirée avait été gâchée par un incident impromptu, en l'occurrence : un meurtre. Elle donnait même l'impression qu'en tant que membre éminent de la communauté de Woodleigh Common, elle venait d'échouer en ne se montrant brusquement plus à la hauteur de la tâche qui, depuis toujours, lui incombait. Ce qui était arrivé, n'aurait pas dû arriver. Ailleurs, peut-être, mais pas dans sa demeure où elle avait soigneusement préparé, organisé et dirigé une soirée pour enfants. D'une manière ou d'une autre, elle aurait dû faire en sorte qu'un tel événement n'ait pas eu lieu.

— Monsieur Poirot, — fit-elle d'une voix douce et claire — je suis ravie que vous ayez pu venir. Mrs. Oliver m'a dit combien votre aide pourra nous être utile pour éclaircir ce drame affreux.

— Rassurez-vous, madame, je ferai tout mon possible, mais vous devez admettre qu'un problème de ce genre n'est pas facile à résoudre.

— Sans doute et j'ajouterai même, Mr. Poirot, qu'il est absolument inadmissible qu'il ait pu se poser. La police doit cependant avoir quelques indices. Je crois savoir que l'inspecteur Raglan qui mène l'enquête, jouit d'une très bonne réputation dans la région. Pensez-vous qu'il sera néanmoins obligé d'appeler Scotland Yard au secours ?

— Il est encore trop tôt pour pouvoir le dire.

— La mort de cette enfant a bouleversé notre communauté. Je ne vous apprendrai rien en vous soulignant que loin des villes, il se produit des accidents dont les enfants sont trop souvent les malheureuses victimes.

Poirot coupa doucement :

— L'affaire qui nous occupe se présente sous un aspect très différent.

— Et c'est bien pour cela que je la trouve inadmissible ! Franchement, je ne puis encore réaliser que ce soit arrivé. J'avais pourtant veillé à tout régler à la perfection. Les enfants ne devaient pas échapper à notre surveillance et la soirée s'annonçait un succès. Personnellement, je suis prête à croire que le danger est venu de l'extérieur. Quelqu'un aura pénétré dans la maison sans éveiller l'attention, ce qui, étant donné les circonstances, n'aura pas été une tâche bien difficile. A mon avis, il s'agit d'un déséquilibré qui, ayant compris qu'une soirée enfantine se déroulait sous mon toit, aura réussi à attirer une fillette à l'écart pour la tuer. Une telle tragédie chez moi, me donne le sentiment de vivre un cauchemar...

— Peut-être pourriez-vous m'indiquer où...

— Bien sûr. Prendrez-vous une autre tasse de café ?

— Non, je vous remercie.

Se levant, Mrs. Drake remarqua :

— La police semble penser que le crime a eu lieu alors que se déroulait le jeu du *Snapdragon* installé dans la salle à manger. Si vous le voulez, je vous montre d'abord cette pièce.

Elle précéda les deux amis dans le hall, ouvrit une porte et, à la manière d'un guide promenant ses visiteurs dans un décor princier, elle indiqua d'un geste la longue table pouvant servir à une dizaine de convives et les lourds rideaux ornant les croisées.

— La pièce était plongée dans l'obscurité, illuminée seulement par un plateau où flambait une cascade de raisins arrosés de cognac. Maintenant, je vais vous conduire à la bibliothèque.

Refermant la porte, elle traversa le hall et poussa un battant ouvrant sur une salle de grandeur moyenne, au décor sobre où quelques vieilles peintures de chasse alternaient avec de longues étagères couvertes de livres.

— Le seau se trouvait au centre, à la place de la table et posé sur une nappe de plastique.

— Je présume qu'il y a eu beaucoup d'eau répandue ? hasarda Poirot.

Intriguée, Mrs. Drake affirma :

— Sur la nappe... oui, bien sûr.

Le petit détective précisa, comme se parlant à lui-même :

— Sans doute... puisque la tête de la victime a été plongée dans le seau plein.

— Durant le jeu, les joueurs avaient déjà renversé tellement d'eau qu'il a fallu remplir le seau au moins deux fois.

— Le criminel aura donc eu ses vêtements éclaboussés ?

— Evidemment...

— Pourtant son apparence n'a ni choqué ni intrigué les autres invités ?

— Non. L'inspecteur m'a d'ailleurs posé la même question. A la fin de la soirée, tout le monde était plus ou moins ébouriffé, maculé de farine ou mouillé. Il est donc impossible de s'appuyer sur ce genre de détail.

— Il nous faut alors orienter nos efforts sur le caractère de la fillette. J'aimerais que vous me confiez l'impression que vous gardez d'elle.

— Joyce ?

Mrs. Drake semblait choquée par la question, comme si, le souvenir de la petite morte qu'elle essayait de chasser de son esprit devait brusquement lui être rappelé.

— La victime est très importante, Mrs. Drake, car, voyez-vous, son caractère révèle souvent la cause du crime.

— Revenons au salon, voulez-vous ?

Ayant repris leur place dans le petit boudoir, les visiteurs fixèrent leur hôtesse qui enchaîna, assez mal à l'aise :

— N'obtiendriez-vous pas de meilleurs renseignements en vous adressant à la police ou à la mère de la fillette ? Ce sera sans doute une rude épreuve pour la pauvre femme...

Elle s'interrompit, l'air attristé et Poirot en profita pour insister :

— Je ne cherche pas à établir mon opinion d'après les

souvenirs d'une mère éplorée, mais plutôt d'après l'impression qu'a produite la fillette sur une personne telle que vous, madame. Votre rôle de paroissienne active vous donne, je n'en doute pas, le pouvoir de juger d'un œil perspicace ceux que vous côtoyez.

— Il est ici question d'une adolescente de douze ou treize ans et à mes yeux, les jeunes se conduisent tous de façon semblable.

— Permettez-moi, madame, de ne pas être tout à fait de votre avis. Ils se différencient par leur caractère et leurs inclinations. Joyce vous était-elle sympathique ?

La question parut embarrasser Mrs. Drake.

— Certainement... enfin... j'aime les enfants, comme tout le monde, d'ailleurs.

— Là encore, je ne partage pas votre opinion. Il y a des enfants qui déplaisent.

— C'est ma foi vrai. De nos jours, ils sont pour la plupart très mal élevés, les parents s'en remettant aux professeurs pour leur donner des leçons de conduite et de discipline.

— Joyce était-elle ou non une gentille petite ?

— Vous oubliez qu'elle est morte.

— Morte ou vivante, cela ne change rien. Peut-être que si elle avait été une enfant modèle, elle ne se serait pas fait tuer.

— Je ne vois pas en quoi son caractère aurait pu précipiter sa fin ?

— Qui sait... Savez-vous qu'elle prétendait avoir été témoin d'un meurtre ?

— Oh, ça ! rétorqua Mrs. Drake avec dédain.

— Je présume, d'après votre ton, que vous ne prêtez aucun crédit à son histoire ?

— Certainement pas. Quelle bêtise !

— Vous rappelez-vous comment elle a été amenée à en parler ?

— Je crois me souvenir que c'est après que les enfants aient su la présence de Mrs. Oliver parmi nous. Se tournant vers l'écrivain, elle ajouta sans grand enthousiasme : Vous êtes une personnalité très connue, ma chère, même chez les jeunes. Si vous n'aviez pas été là, je doute qu'ils se soient lancés sur votre sujet favori.

Poirot enchaîna pensivement :

— Joyce a donc brusquement déclaré qu'elle avait eu l'occasion d'être témoin d'un meurtre.

— C'est exact bien que je n'aie pas prêté grande attention à ses paroles.

— Néanmoins, vous vous souvenez de son allusion à un crime ?

— Parfaitement. Je n'y ai d'ailleurs pas cru. Et sa sœur plusieurs fois l'incita à se taire.

— Ce qui ne lui plut pas, j'imagine ?

— Elle ne cessa de soutenir que son récit était véridique.

— Dirons-nous qu'elle s'en glorifiait ?

— Ma foi, oui.

— Il est possible qu'elle ait été sincère...

— Mais non, voyons ! C'est exactement le genre de contes que Joyce était capable d'inventer.

— Etait-elle menteuse ?

— Pas particulièrement, mais elle était connue pour ses vantardises et son désir de passer pour plus intelligente que ses compagnes.

— Quelle a été la réaction des autres enfants lorsqu'elle aborda le sujet de ce crime dont elle aurait été témoin ?

— Ils se moquèrent tous d'elle, ce qui la poussa à s'entêter.

Se levant pour prendre congé, Poirot annonça :

— Je vous remercie d'avoir confirmé mon opinion sur Joyce. Se penchant galamment sur la main qu'on lui tendait, il conclut : J'espère que ma visite ne vous aura pas trop remis en mémoire des souvenirs pénibles.

— Cette aventure est évidemment très désagréable. Je souhaitais tant que ma soirée soit un succès comme les précédentes. Il est regrettable que Joyce ait compliqué les choses en parlant d'un crime qu'elle avait vu perpétrer. Et pour exprimer le fond de ma pensée, je suis à peu près convaincue que les déclarations de Joyce avaient pour but d'impressionner un groupe d'adolescents et probablement d'intéresser une romancière célèbre.

Ce disant, elle lança à Mrs. Oliver un regard dépourvu de sympathie et l'écrivain ne put s'empêcher de remarquer :

— En somme, ce qui s'est produit serait de ma faute ?

— Mais non, ma chère, ce n'est pas ce que je voulais dire.

En s'éloignant de la maison, Poirot soupira plus pour lui-même que pour sa compagne :

— Ce cadre ne convient pas à un crime aussi atroce, bien qu'il me soit arrivé de songer que quelqu'un pourrait, par moments, nourrir le projet de faire disparaître Mrs. Drake elle-même.

— Cette femme est exaspérante, je vous l'accorde, avec ses airs de supériorité et son excessive complaisance envers elle-même.

— Quelle sorte d'homme est son mari ?

— Il est mort depuis un ou deux ans. Atteint de poliomyélite, il est resté cloué des années sur un fauteuil roulant. Il était banquier et se passionnait pour les sports. Il a beaucoup souffert de devoir abandonner sa vie active.

— Je comprends. Pour en revenir à Joyce, estimez-vous vraiment que personne n'a pris au sérieux l'histoire dans laquelle elle prétendait avoir joué le rôle de témoin ?

— Non, je ne le crois pas.

— Les autres enfants, par exemple ?

— C'est à eux que je pensais. Ils ont réagi comme s'ils comprenaient qu'elle leur racontait un mensonge.

— Et vous, quelle a été votre propre réaction ?

— La même que la leur. Pour sa part, Mrs. Drake aimerait se persuader que le crime n'a jamais eu lieu.

— C'est normal. La trouvez-vous sympathique ?

— Vous avez le don de poser les questions les plus embarrassantes qui soient. Il semblerait que tout ce qui vous intéresse est de découvrir si les gens sont sympathiques ou pas. A mon avis, Rowena Drake est le genre de femme qui aime à commander, organiser, ordonner et réglementer l'existence de son entourage. C'est elle qui dirige plus ou moins la petite ville, ce à quoi elle s'applique fort bien, je l'avoue. Mais personnellement, je suis contre les femmes autoritaires.

— Et quelle impression gardez-vous de la mère de Joyce, chez laquelle nous nous rendons ?

— Une gentille femme quelque peu sotte. Je la plains beaucoup. Tout le monde ici est persuadé que Joyce a été la victime d'un obsédé sexuel, ce qui aggrave la douleur de la pauvre mère.

— Rien, jusqu'ici, n'indique que le criminel soit un malade.

— Ne vaudrait-il pas mieux que ce soit Judith Butler qui vous mène chez Mrs. Reynolds ? Elle la connaît bien alors que je ne l'ai rencontrée qu'une ou deux fois.

— Nous agirons suivant le plan qui a été décidé, ma chère.

CHAPITRE VII

Mrs. Reynolds offrait un contraste frappant avec l'autoritaire Rowena Drake. Toute menue dans son habit de deuil, la mère de Joyce serrait nerveusement un mouchoir qu'elle portait parfois à ses yeux rougis et gonflés de larmes.

Ayant tendu une main moite à ses visiteurs qu'elle introduisit dans une pièce servant de salle de séjour, elle trouva un peu de courage pour annoncer :

— C'est bien aimable à vous d'être venus pour chercher à éclaircir cette tragique affaire, bien que je ne voie pas à quoi cela servira. Rien ne pourra me rendre ma fille... C'est épouvantable ! Comment quelqu'un a-t-il pu vouloir la tuer ? Si seulement elle avait crié... La scène repasse sans cesse dans mon esprit et cependant je ne puis supporter d'imaginer la façon dont elle a dû se dérouler.

Poirot dit avec douceur :

— Rassurez-vous, madame, nous ne sommes pas ici pour vous tourmenter, mais pour vous prier de nous aider dans nos efforts en vue de démasquer le meurtrier. Vous n'avez aucun soupçon quant à son identité ?

— Comment en aurais-je ? Nous vivons dans une bonne ville où tout le monde se connaît plus ou moins et j'aurais du mal à croire qu'un criminel se cache parmi nous. Celui qui a tué mon enfant n'est pas un être normal. Il devait se droguer ou boire. Peut-être a-t-il agi inconsciemment ?

— Vous êtes sûre qu'il s'agit d'un homme ?

Mrs. Reynolds eut l'air choqué.

— Il est impensable qu'une femme ait commis un crime aussi horrible !

— Elle n'aurait cependant pas eu besoin d'user de beaucoup de force.

— J'admets que, de nos jours, les femmes sont plus athlétiques qu'autrefois. Mais quel genre de monstre serait la femme qui irait tuer une enfant de cette manière ? Joyce n'avait que treize ans.

— Je ne veux pas vous torturer en vous posant des questions que la police a déjà dû vous poser. Je suis ici pour que vous m'aidiez à comprendre une remarque faite par votre fille peu avant le meurtre. Au fait, étiez-vous présente à la soirée donnée par Mrs. Drake ?

— Non. J'ai été malade récemment et je craignais que les cris des enfants et leurs jeux ne me fatiguent trop. J'ai accompagné mes filles et mon fils en voiture. Je devais les reprendre à la fin de la soirée. Il me reste à présent Anne l'aînée, qui a seize ans, et Léopold qui approche de ses douze ans. Que vouliez-vous me demander au sujet de Joyce ?

— Mrs. Oliver l'a entendue déclarer, devant ses camarades, qu'elle avait eu l'occasion, il y a longtemps, d'assister à un meurtre.

— Joyce a dit ça ? C'est impossible, voyons ! Quel crime aurait-elle bien pu découvrir ?

— Je dois reconnaître que ses amis n'ont pas pris sa déclaration au sérieux. Joyce avait-elle fait allusion devant vous à ce meurtre ?

— Certainement pas !

— Nous devons prendre en considération que pour

une fillette, le mot *meurtre* a peut-être été employé abusivement. Joyce aurait pu avoir été témoin d'un accident de voiture ou d'une bagarre entre gamins au cours de laquelle un des protagonistes aurait culbuté dans la rivière poussé par son adversaire du moment, en bref, un accident involontaire.

— Je ne me souviens d'aucun accident de cette sorte survenu dans notre petite ville. De plus, si Joyce en avait surpris un, elle n'aurait pas manqué de m'en parler. Elle devait plaisanter.

Mrs. Oliver intervint :

— Pourtant, elle s'exprimait sur un ton très persuasif. Plus on se moquait d'elle, plus elle s'entêtait.

Poirot tint à préciser d'un ton net :

— A mon sens, il y a toutes les chances pour que Joyce ait mal interprété un accident auquel elle aura assisté il y a longtemps.

— Dans ce cas, je vous le répète, j'aurais été la première avertie !

— Peut-être qu'elle vous a fait une réflexion à l'époque et que vous l'avez oubliée ?

— Mais enfin, quand cet accident aurait-il eu lieu ?

— Nous n'en savons rien. Joyce a seulement précisé, qu'alors, elle était encore très jeune. Que signifie cette remarque dans la bouche d'une fillette de treize ans ?

— Comment vous répondre ?

— Vous pensez toutefois que si elle affirmait avoir été témoin d'un meutre, elle était profondément convaincue de ce qu'elle avançait ?

— Oui, mais vraisemblablement elle aura été trompée par les apparences.

— C'est aussi mon avis. Me permettez-vous de m'entretenir un instant avec vos deux enfants qui se trouvaient, eux aussi, à la soirée donnée par Mrs. Drake ?

— Si vous voulez, bien que je doute qu'ils vous révèle quoi que ce soit. Anne est dans sa chambre en train d'étudier et Léopold est au jardin où il construit un avion miniature.

Les visiteurs trouvèrent le garçon, un solide adolescent aux joues rondes, absorbé dans son travail d'assemblage et peu enclin à interrompre sa tâche pour prêter attention aux intrus.

Poirot s'enquit :

— Chez Mrs. Drake, vous avez dû entendre votre sœur raconter une affaire étrange...

— Vous voulez parler du meurtre ?

— Parfaitement. Elle a déclaré avoir vu se perpétrer un meurtre. Est-ce vrai ?

— Bien sûr que non ! C'était bien de Joyce d'inventer des histoires pareilles.

— Pourquoi ?

— Elle aimait à se vanter. Il fixa une minuscule hélice avec application avant de poursuivre : Joyce était idiote, elle aurait débité n'importe quoi pour se rendre intéressante.

— Donc, à votre avis, sa déclaration était purement le fruit de son imagination ?

Se tournant à demi vers Mrs. Oliver, Léopold précisa :

— Je parie qu'elle cherchait à vous impressionner. C'est bien vous qui écrivez des romans policiers ? Elle voulait sans doute que vous la remarquiez plus que les autres.

Poirot pressa :

— Aimait-elle à se faire valoir ?

— Et comment ! Je parie pourtant que personne n'a cru à ses racontars !

— Avez-vous retenu ses paroles ?

— Non, car je n'y ai attaché aucune importance. Je me souviens que Béatrice s'est moquée d'elle ainsi que Cathie.

Comprenant qu'ils n'apprendraient rien de plus du garçon, les deux amis regagnèrent la maison et se rendirent auprès d'Anne, une grande adolescente au visage sérieux qu'ils trouvèrent penchée sur une table encombrée de livres d'étude.

A la question de Poirot, la jeune fille répondit d'un ton posé :

— Je me trouvais, en effet, à la soirée.

— Et vous étiez là quand votre sœur a fait allusion à un meurtre ?

— Oui, bien que je n'y aie prêté aucune attention.

— Vous n'y avez donc pas cru ?

— Evidemment, non !

— Quelle conclusion tirez-vous de la déclaration de votre sœur ?

— Joyce passait son temps à mentir. Je me souviens qu'un jour, elle avait monté un conte fantastique concernant les Indes. Notre oncle y avait séjourné quelque temps et Joyce broda sur ce voyage, prétendant devant ses compagnes avoir accompagné son parent. Je dois reconnaître que plusieurs des filles de sa classe l'ont crue.

Changeant de ton, Poirot demanda :

— A votre avis, qui a tué votre sœur, Anne ? Vous connaissez son entourage et ceux qui ne l'aimaient pas ?

— Personne ne serait allé jusqu'à la tuer. Ce doit être un fou. Il ne peut s'agir de quelqu'un que nous côtoyons.

Alors que les visiteurs allaient se retirer, Anne déclara brusquement :

— Je ne veux pas calomnier ma sœur morte, mais je vous jure qu'elle était la pire menteuse que j'aie jamais connue.

Ils s'éloignaient de la maison des Reynolds lorsque Mrs. Oliver s'enquit :

— Avez-vous l'impression que nous progressons ?

— Absolument pas. C'est d'ailleurs là une constatation intéressante.

CHAPITRE VIII

Tandis qu'à l'église six heures sonnaient, Poirot et ses amis de la « Cime des Pins » finissaient de manger des saucisses cuites à point tout en buvant un thé assez insipide. Le Belge complimenta cependant son hôtesse, présidant à une extrémité de la table et veillant sur la théière traditionnelle.

Elspeth McKay ne ressemblait pas du tout à Spencer. La carrure massive de l'un devenait anguleuse chez l'autre, et dans le visage en lame de couteau de la sœur, on devinait une aptitude à tout juger rapidement et avec une étonnante précision. Toutefois, les yeux et le menton proéminent étaient semblables chez le frère comme chez la sœur. Poirot qui les trouvait tous deux doués d'un grand bon sens s'amusait à comparer leur façon de s'exprimer. Au cours de sa longue carrière, Spencer s'était plié à une discipline extrêmement sévère et avait appris à n'émettre un jugement ou même une simple remarque que lorsqu'il était absolument certain de son fait. Il parlait donc lentement, pesant chaque mot avant de le prononcer. Mrs. McKay, par contre, débitait ses impressions d'une façon volubile, directe et précise.

Après un échange classique de banalités, la conversation du trio s'orienta naturellement sur le crime commis chez Mrs. Drake.

D'un ton posé, Poirot annonça :

— Pour moi, il est clair que le caractère de la victime joue un grand rôle dans l'affaire. Quel est votre avis, mon cher ?

Haussant les épaules, Spencer protesta :

— Je n'habite pas le pays depuis assez longtemps pour vous donner un point de vue objectif. Adressez-vous plutôt à Elspeth.

Cette dernière enchaîna aussitôt :

— Si vous voulez mon avis, je vous dirai que Joyce était une menteuse.

— Vous n'auriez donc jamais pris au sérieux ce qu'elle racontait ?

— Certainement pas. Je reconnais qu'elle avait un grand pouvoir de persuasion, mais pour rien au monde je n'aurais ajouté foi à ce qu'elle racontait.

— Mentait-elle uniquement pour se rendre intéressante ?

— Je pense que oui. On vous a sans doute parlé de ce qu'elle avait inventé à propos d'un soi-disant voyage aux Indes avec son oncle ? Ce qu'elle a pu trouver ! Ses compagnes ont été convaincues pour la plupart, car elle décrivait fort bien ses pseudo chasses au tigre et à l'éléphant. Mais, au fur et à mesure qu'elle trouvait de nouveaux auditoires, les animaux se multipliaient et ce que personnellement j'avais d'abord mis sur le compte d'une exagération assez naturelle chez une fillette, ne me laissa vite aucun doute quant à la véracité de l'expédition. On peut dire que cette enfant-là n'était jamais à court d'imagination.

Spencer intervint :

— Qu'elle ait échafaudé un conte à propos d'un voyage alors qu'elle passait ses vacances chez une parente éloignée, ne signifie pas forcément que tout ce qu'elle disait était des mensonges.

— Peut-être, mais pour ma part, je tiens qu'elle mentait comme elle respirait.

— Voulez-vous exprimer par là, chère madame, que si vous l'aviez entendue parler d'un crime au déroulement duquel elle aurait assisté, vous ne l'auriez pas crue, non plus ?

— Je maintiens que là encore, elle avait trouvé un conte à offrir à ses compagnes. Mais je ne veux pas être injuste. Il est possible, je l'admets, que l'enfant ait surpris un incident susceptible de lui fournir une merveilleuse occasion de capter l'attention de son auditoire.

— Et elle a payé sa faute en se faisant tuer ? ironisa Spencer. N'oubliez pas que son dernier mensonge lui a coûté la vie, Elspeth.

— D'accord et si la chose est prouvée, j'en aurai des remords. Monsieur Poirot, vous pouvez interroger qui vous voulez, partout on vous dira que Joyce mentait sciemment chaque fois que l'occasion s'en présentait. Et ne perdez pas de vue que son histoire a été racontée à une soirée, alors que comme les autres, Joyce devait se trouver dans un état de surexcitation très naturelle chez des jeunes. Elle aura voulu se donner une importance particulière.

— Quel crime aurait-elle eu la possibilité de voir perpétrer ?

— Aucun, affirma aussitôt Elspeth.

— Il doit bien y avoir eu des décès dans cette petite ville, au cours des trois dernières années ?

Spencer répondit :

— J'y ai réfléchi et je vous ai préparé une liste. Tirant une feuille de sa poche qu'il tendit à Poirot, il ajouta : Cela vous évitera de perdre du temps à glaner des renseignements çà et là.

— S'agit-il de victimes d'assassinat ?

— Rien n'a pu être prouvé. Disons que les circonstances de leur mort demeurent encore un mystère.

Poirot parcourut la liste des yeux : Mrs. Llewellyn-

Smythe, Charlotte Benfield, Janet White, Lesley Ferrier, et relevant la tête, il regarda Elspeth :

— Mrs. Llewellyn-Smythe...

— C'est, peut-être, le cas le plus étrange.

Et elle ajouta un mot qui intrigua fort Poirot.

— A cause de cette fille.

— Quelle fille ?

— Elle s'est envolée un beau soir et personne n'a plus entendu parler d'elle.

— Qui ça ? Mrs. Llewellyn-Smythe ?

— Non, la fille. Elle aurait facilement pu ajouter quelques gouttes de poison à la potion. Et elle aurait hérité de tout... c'est du moins ce qu'elle se figurait à l'époque.

Poirot se tourna vers Spencer, quêtant une explication. Mais Elspeth continuait :

— On ne l'a jamais revue et elle n'a plus donné de ses nouvelles. Ces filles qui viennent de l'étranger sont toutes les mêmes.

— Vous voulez parler d'une fille qui vivait au pair chez Mrs. Llewellyn-Smythe ?

— Parfaitement, elle vivait avec la vieille dame et une semaine ou deux après la mort de cette dernière, elle a brusquement disparu.

— A mon avis, elle est partie avec un homme pour aller vivre ailleurs, commenta l'ancien Superintendant.

— Si c'est le cas, personne n'a jamais parlé de leur liaison et vous n'ignorez pas qu'ici tout se sait très vite. Les amoureux ne sont nulle part à l'abri des indiscrets.

— A-t-on jugé que la mort de Mrs. Llewellyn-Smythe avait quelque chose d'insolite ?

— Non. Elle souffrait depuis quelque temps d'une maladie de cœur et le médecin la visitait régulièrement.

— Pourtant, mon ami, vous ouvrez votre liste de morts suspectes avec son nom.

— Mrs. Llewellyn-Smythe était riche, immensément riche et bien que la nouvelle de sa mort ne surprît personne, sa soudaineté étonna un peu le docteur Ferguson persuadé que sa cliente pouvait encore vivre des années. Il est vrai que les médecins ont parfois de ces surprises. De plus, la vieille dame n'était pas du genre à suivre scrupuleusement les conseils de son praticien. Alors qu'elle aurait dû se ménager, elle agissait toujours à sa guise, allant même jusqu'à s'occuper de jardinage, son passe-temps favori. Ce genre de distraction n'est pas indiqué pour les cardiaques.

Elspeth enchaîna :

— Elle était venue s'installer ici à la suite de sa maladie. Avant, elle voyageait beaucoup à l'étranger. Elle a choisi notre coin pour être plus près de son neveu et de sa nièce, Mr. et Mrs. Drake. Elle a commencé par acheter « Quarry House », une grande bâtisse de style victorien adossée à une carrière abandonnée qu'elle désirait aménager en jardin. Elle a investi des millions pour réaliser son projet, faisant venir tout spécialement un paysagiste de Wisley. J'avoue qu'il a réussi des merveilles.

— J'irai jeter un coup d'œil sur son œuvre. Qui sait ? Cela me donnera peut-être des idées...

— Vous ne regretterez pas le déplacement.

— Comment Mrs. Llewellyn-Smythe avait-elle acquis sa fortune ?

— Son mari, un important constructeur de navires, la lui avait léguée par testament.

— Bien que le médecin ait jugé sa mort un peu soudaine, aucune enquête n'a été ouverte après le décès ?

Spencer hocha négativement la tête et Poirot reprit :

— Je me représente cette dame si riche. On lui recommande de se ménager, d'éviter les marches fatigantes, les montées d'escaliers, mais parce qu'elle est de tempérament énergique et probablement autoritaire, elle se refuse à écouter les conseils de prudence. A propos, est-ce le même médecin que je dois rencontrer ?

— Le docteur Ferguson, oui. Un homme approchant de la soixantaine et aimé de tous ses concitoyens.

— Néanmoins, vous ne semblez pas tout à fait convaincus tous les deux que Mrs. Llewellyn-Smythe soit morte d'une mort naturelle. Votre impression se base-t-elle sur des faits précis ?

— Il y a la fille au pair, commença Elspeth.

— Eh bien ?

— Pour commencer, elle a falsifié le testament de sa patronne et si ce n'est pas elle, qui l'a fait à sa place ?

— Quelle est cette histoire de testament falsifié ?

— Des rumeurs ont circulé au moment où le document laissé par la vieille dame dut être validé.

— Portait-il une date récente ?

— Il s'agissait d'un codicille appelé à remplacer des testaments successivement annulés. Ils se ressemblaient tous plus ou moins d'ailleurs, car toujours Mrs. Llewellyn-Smythe léguait le gros de sa fortune aux Drake, ses plus proches parents, changeant seulement le nom des œuvres de charité et des serviteurs fidèles bénéficiaires de petits legs.

— Tandis que par ce codicille... ?

— Elle laissait tout à cette fille « au pair », lança Elspeth, « pour la remercier de son dévouement et de sa gentillesse envers moi ».

— Parlez-moi un peu plus de cette fille « au pair » ?

— Elle venait d'un pays d'Europe centrale.

— Combien de temps est-elle restée auprès de la vieille dame ?

— Un peu plus d'un an.

— Mrs. Llewellyn-Smythe était-elle très âgée ?

— Non. Elle est morte à soixante-cinq ou six ans.

— Ce n'est pas vieux du tout, remarqua Poirot, légèrement vexé.

— En tout cas, cette fois, elle léguait tout à l'étrangère, sauf la maison construite pour le paysagiste qui pouvait en disposer à sa guise, et ce en plus d'une rente annuelle devant lui permettre de veiller à l'entretien des jardins.

— Je présume que la famille a prétendu que la défunte ne jouissait plus de toutes ses facultés lorsqu'elle avait rédigé ce codicille, et qu'elle s'était laissée influencer ?

— C'est possible, intervint Spencer. Toujours est-il que les notaires ont presque aussitôt insinué que le codicille était un faux.

— Il a été démontré que la fille vivant « au pair » aurait pu aisément être l'auteur de ce méfait. Voyez-vous, monsieur Poirot, elle avait pris l'habitude de se charger de la correspondance de sa maîtresse. Cette dernière, bien qu'elle ne pût se servir d'une plume qu'avec difficultés à cause de douleurs rhumatismales, se refusait à faire taper son courrier. En dehors de quelques correspondances officielles, elle priait l'étrangère de mettre son courrier à jour à sa place et d'essayer d'imiter son écriture du mieux possible. Je tiens cette information de Mrs. Minden, une domestique qui l'aurait entendue le dire alors qu'elle époussetait la pièce où se trouvaient les deux femmes. Déjà, j'en ai déduit qu'un jour l'étrangère a eu l'idée d'écrire un codicille en sa faveur, certaine que personne n'en contesterait l'authenticité. Malgré son habileté, les notaires ont éventé la ruse.

— S'agissait-il des notaires de Mrs. Llewellyn-Smythe ?

— Oui, Messrs. Fullerton, Harrison et Leadbetter, une vieille firme de solide réputation qui gérait depuis toujours les affaires de leur cliente. Afin de confirmer leurs soupçons, ils ont eu recours à des experts et ont demandé à rencontrer la fausse héritière. Mais notre oiseau a pris peur et s'est envolé sans même prendre le temps d'emporter ses bagages. Les hommes de loi auraient, sans doute, poursuivi cette fille en justice et elle n'a pas eu le courage d'affronter un procès. A l'heure qu'il est, elle a probablement regagné son pays et changé de nom.

Pensivement, Poirot remarqua :

— Cependant, la mort de Mrs. Llewellyn-Smythe n'a éveillé aucun soupçon.

— Non, puisque le médecin avait décidé que la défunte était morte de mort naturelle. Je sais qu'il arrive parfois aux praticiens de se laisser abuser par les apparences. Imaginez que Joyce ait surpris ou entendu quelque chose ? Par exemple, la vieille dame remarquant que, pour une fois, sa potion servie par l'étrangère, lui semblait très amère.

— A vous entendre, Elspeth, on jurerait que vous étiez vous-même témoin d'un tel incident !

— Où et à quel moment de la journée est morte Mrs. Llewellyn-Smythe ? questionna Poirot.

— Elle est morte chez elle, tôt dans l'après-midi. Elle venait de s'adonner au jardinage et avait regagné sa chambre en respirant avec peine. Elle s'est allongée sur son lit et est morte dans son sommeil. Une mort qui, à première vue, est des plus banales.

Poirot sortit son petit carnet et au haut de la page sur laquelle il avait déjà inscrit méthodiquement : victimes éventuelles, il commença sa liste en inscrivant Mrs. Llewellyn-Smythe.

Regardant ensuite les notes de son ami, il lut :

— Charlotte Benfield ?

Spencer lança aussitôt, comme s'il lisait un rapport :

— Vendeuse. Seize ans. Morte des suites de coups assenés sur la tête. Trouvée sur un sentier à l'orée de « Quarry Wood ». Des jeunes gens suspectés. Ils avaient été vus en sa compagnie peu de temps auparavant. Relâchés faute de preuve. Lors des interrogatoires, ils ont raconté quelques mensonges, se sont contredits, bref, ils avaient peur. Ni l'un ni l'autre n'ont l'envergure de meurtriers, mais... l'un ou l'autre a très bien pu faire le coup.

— Quel genre, ces garçons ?

— Peter Gordon, 21 ans, sans profession. A trouvé un ou deux emplois qu'il n'a pas gardés, trop paresseux pour persévérer. Un beau gars, d'ailleurs. Fut mis une ou deux fois en liberté surveillée pour de menus larcins. Son casier judiciaire ne porte aucune mention d'actes de violence. Il appartenait à un gang de voyous, mais s'est toujours gardé de s'attirer des ennuis trop sérieux.

— Et l'autre ?

— Thomas Hudd, vingt ans, affligé d'un bégaiement très prononcé. Caractère timide, névrosé. Nourrissait l'ambition de devenir professeur. Echec. La mère, veuve, s'est toujours montrée d'une faiblesse exagérée envers son fils, le couvant et l'empêchant de sortir avec les jeunes filles de son âge. Il travaille chez un libraire. Aucune action criminelle à son actif, mais du point de vue psychologique, il serait capable de mijoter un mauvais coup. Les deux compères ont tous deux fourni des alibis pour le soir du crime. Hudd se trouvait auprès de sa mère qui jurerait n'importe quoi plutôt que de laisser accuser son fils. Le jeune Gordon était en compagnie de ses copains dont le témoignage vaut moins que rien, mais là encore, impossible de découvrir un indice quelconque.

— Quand le crime a-t-il eu lieu ?

— Il y a dix-huit mois.

— Où ?

— Juste à la sortie de Woodleigh Common sur un sentier que coupe une colline.

— A trois quarts de mille d'ici, précisa Elspeth.

— A proximité de la maison des Reynolds ?

— Non, à l'autre extrémité du village.

Poirot réfléchit avant de remarquer pensivement :

— Ce pourrait difficilement être le meurtre auquel Joyce faisait allusion. Si elle avait vu défoncer le crâne d'une jeune fille, il ne lui aurait pas fallu plus d'un an pour réaliser qu'elle avait été témoin d'un crime.

Consultant des yeux son agenda, il lut à haute voix :

— Lesley Ferrier.

A nouveau, le Superintendant prit la parole :

— Clerc de notaire, vingt-huit ans. Employé chez Messrs. Fullerton, Harrison et Leadbetter de Market Street à Medchester.

— Ceux qui s'occupaient des affaires de Mrs. Llewel-lyn-Smythe ?

— Les mêmes.

— Curieux. Qu'est-il arrivé à Ferrier ?

— Tué d'un coup de poignard à proximité du pub *Le Cygne Vert*. Il aurait, paraît-il, mené une intrigue amoureuse avec la femme du tenancier Harry Griffin.

— L'arme du crime ?...

— On ne l'a jamais retrouvée. Ferrier aurait rompu ses relations avec la belle tenancière pour fréquenter une jeune fille que la police n'a pas réussi à identifier.

— Et qui a-t-on soupçonné, le mari ou la femme ?

— L'un ou l'autre aurait tout aussi bien pu être coupable. Mrs. Griffin a du sang de bohémien dans les veines et son tempérament emporté est connu de tous. Les époux n'étaient d'ailleurs pas les seuls à être soupçonnés. Lesley, au cours de sa jeunesse mouvementée, avait eu des ennuis avec la police vers sa vingtième année. On aurait trouvé des erreurs dans sa caisse ainsi que des documents falsifiés. A son procès, la défense a plaidé qu'il était issu d'une famille désunie et tout ce qui s'ensuit, vous connaissez la chanson... Ses collègues ont parlé en sa faveur, ce qui l'a sauvé d'une longue condamnation. A sa sortie de prison, il a été réembauché par la firme.

— Et après cela, il a mené une existence rangée ?

— Difficile à prouver. Sur le plan travail, il en donnait l'impression, mais il a pris part à des transactions plus ou moins louches avec d'anciens compagnons de cellule. A mon sens, il ne s'était pas amendé, mais agissait avec prudence.

— Comment expliquez-vous cette mort violente ?

— Son association avec des crapules, probablement. Ceux qui fréquentent les gibiers de potence doivent s'y attendre, un jour ou l'autre.

— Rien d'autre à ajouter ?

— On a découvert que son compte en banque avait beaucoup grossi peu avant sa mort, mais comme l'argent avait été déposé comptant, il fut impossible d'en retrouver la source. Ce détail intrigua fort les autorités.

— Peut-être de l'argent volé aux notaires ?

— Ces Messieurs affirmèrent que non, après vérification de leurs comptes.

— Et la police n'a jamais soupçonné d'où provenaient ces fonds ?

— Apparemment, non.

— Là encore, j'oserais affirmer que ce crime ne peut être celui auquel Joyce se référait.

Il lut le dernier nom de la liste.

— Janet White.

— Trouvée étranglée sur un chemin de traverse entre l'école où elle enseignait et l'appartement qu'elle partageait avec une autre institutrice, Nora Embrose. D'après les déclarations de celle-ci, Miss White aurait reçu à plusieurs reprises des lettres de menaces du boy-friend qu'elle avait laissé tomber une année plus tôt. Néanmoins, la police n'a pu mettre la main sur cet homme. Nora Embrose ne le connaissait pas et ignorait dans quelle ville il habitait.

— Cette affaire cadrerait mieux avec ce qui nous intéresse.

— Pourquoi ?

— Parce qu'elle correspond mieux au genre d'acte de violence que peut surprendre une fillette de l'âge de Joyce. Si l'assassin lui était étranger, elle aura pu reconnaître dans la victime, un de ses professeurs et, assistant à une querelle opposant le couple, elle n'aura pas, sur le moment, pensé à un crime. A combien de temps remonte cette affaire ?

— A deux ans et demi.

— Le temps aurait, là encore, une signification importante. La fillette qui voit l'homme serrer le cou de sa compagne, croit que les amoureux vont s'embrasser pour faire la paix et ce n'est que deux ans plus tard qu'elle réalise à quel genre de scène elle a assisté.

Se tournant vers Mrs. McKay, il questionna :

— Que dites-vous de mon raisonnement, Madame ?

— Je le suis parfaitement, mais... ne considérez-vous pas la situation à rebours, en cherchant à résoudre un crime ancien plutôt que de concentrer votre attention sur celui qui vient de faire une petite victime dans notre village ?

— Il nous faut partir du passé pour progresser jusqu'au présent. Ainsi, nous en venons à la question que vous avez déjà dû vous poser, à savoir, qui parmi les invités de la soirée de Mrs. Drake aurait pu tremper de près ou de loin dans un crime perpétré bien plus tôt.

— Nous pouvons même restreindre un peu le nombre des suspects, coupa Spencer, car Joyce a parlé devant un petit groupe qui était là, dans le courant de l'après-midi, pour préparer la fête.

— J'imagine que vous avez réussi à obtenir la liste de ces personnes ?

— En effet. Je l'ai même revérifiée et ma tâche n'a pas été aisée. Voici le résultat de mon enquête.

« Liste des personnes présentes chez Mrs. Drake durant la préparation de la soirée, donnée à l'occasion de la Fête du Potiron. »

Mrs. Drake. (Propriétaire de la maison.)
Mrs. Butler.
Mrs. Oliver.
Miss Whittaker. (Maîtresse d'école.)
Révérend Charles Cotterell. (Vicaire.)
Simon Lampton. (Curé.)
Miss Lee. (Assistante du docteur Ferguson.)
Ann Reynolds.
Joyce Reynolds.
Nicholas Ransom.
Desmond Holland.
Beatrice Ardley.
Cathie Grant.
Diana Brent.
Mrs. Carlton. (Femme de ménage.)

Mrs. Minden. (Autre femme de ménage.)

Mrs. Goodbody. (Aide bénévole.)

— Vous êtes sûr que les noms y sont tous ? demanda Poirot après lecture.

— Non, je n'en suis pas du tout sûr, et il est pratiquement impossible d'être affirmatif. Quelqu'un a apporté des ampoules colorées, un autre des miroirs. On a aussi livré de la vaisselle supplémentaire, un seau. Il se peut donc que celui ou celle qui nous intéresse se soit trouvé présent quelques instants et ait été oublié par les gens interrogés. Et même sans entrer dans la salle de jeu, notre suspect aurait pu surprendre les paroles de Joyce en restant dans le hall où personne n'aura remarqué sa furtive présence. Force nous est donc de limiter notre liste aux dix-huit personnes qui sont restées plus d'une heure chez Mrs. Drake.

— Je vous remercie. Encore une question : lorsque vous leur avez parlé, ont-elles fait allusion à l'étrange déclaration de Joyce ?

— Non, je ne pense pas. Et la police qui a vérifié de son côté, ne l'a pas noté non plus. C'est par vous que j'en ai entendu parler pour la première fois.

— Intéressant...

— Cela démontre surtout que personne n'a pris les paroles de Joyce au sérieux.

Poirot hocha la tête.

— Je dois prendre congé pour ne pas manquer mon rendez-vous avec le docteur Ferguson. Je tiens à le voir après l'heure des consultations.

Il plia soigneusement la liste que venait de lui remettre son ami et la glissa dans sa poche.

CHAPITRE IX

Le docteur Ferguson, sexagénaire d'origine écossaise aux manières franches et brusques, fixa sur son visiteur un regard dépourvu de bienveillance et dissimulé en partie par d'épais sourcils brouissailleux.

— De quoi s'agit-il ? Asseyez-vous en prenant garde à ce fauteuil dont les roulettes ne tiennent presque plus.

— Peut-être devrais-je vous expliquer..., commença Poirot.

— Inutile : dans notre petite ville tout se sait. La romancière vous a prié de venir en tant que plus grand policier de tous les temps, pour réduire à rien notre police locale. C'est bien cela, n'est-ce pas ?

— Oui et non. Je suis venu rendre visite à un de mes vieux amis, l'ancien Superintendant Spencer qui habite ici avec sa sœur.

— Un bon policier, ce Spencer. Beaucoup de cran et l'honnêteté qui distinguait la vieille école. Un incorrigible pas du tout partisan de la violence. Un garçon loin d'être bête.

— Vous l'évaluez à sa juste valeur.

— Eh bien! que pensez-vous tous deux de cette affaire?

— L'inspecteur Raglan et lui, Spencer, m'ont témoigné une grande amabilité. J'espère que, comme eux, vous me prêterez assistance, docteur.

— Je n'ai pas à être aimable. Je ne sais rien qu'ils ne connaissent déjà. Une fillette meurt asphyxiée parce qu'au cours d'une soirée on lui a maintenu la tête dans un seau rempli d'eau et de pommes. Sale histoire, Monsieur. Tout ça parce que des fous sont laissés en liberté. Je dois dire qu'habituellement, ils ne choisissent pas une soirée pour satisfaire leurs instincts sanguinaires. Beaucoup trop risqué. Mais... les malades mentaux doivent eux aussi éprouver parfois le goût de l'aventure.

— Nourrissez-vous quelque soupçon sur l'identité de celui que nous recherchons?

— Croyez-vous que ce soit là une question à laquelle je puisse vous répondre comme ça? Il me faudrait des preuves, non?

— Vous pourriez vous risquer à une hypothèse?

— N'importe qui peut ébaucher des hypothèses. Si je rends visite à un malade, il me faut questionner, soupeser pour finalement décider avec un éventail de possibilités plus ou moins ouvert. Et cela, monsieur Poirot, c'est ce que, dans ma profession, on appelle un diagnostic. Impossible de prononcer sans réfléchir ni être sûr de ce qu'on avance.

— Connaissiez-vous la victime?

— Certainement. Elle et sa famille étaient de ma clientèle. Nous ne sommes que deux médecins, ici, Worral et moi. Les Reynolds m'ont toujours consulté. Joyce était une fillette robuste, ayant eu les maladies infantiles habituelles. Aucun signe particulier sinon qu'elle mangeait et parlait trop.

— Et il se peut que, pour une fois, elle ait dû payer de sa vie sa manie de bavarder.

— C'est donc là la piste que vous avez décidé de suivre pour mener votre enquête ?

— Elle pourrait expliquer le mobile du crime, non ?

— Je vous l'accorde et cependant les raisons de penser autrement ne manquent pas. La mort de Joyce n'a d'ailleurs profité à personne et nul ne haïssait cette enfant. A mon sens, il ne faut plus à l'heure présente, chercher une explication logique, basée sur le caractère de la victime, mais plutôt ce qu'il s'est passé dans l'esprit du meurtrier — un déséquilibré — au moment où il tuait.

— Et qui, dans l'affaire qui nous occupe, répondrait à votre définition ?

— Vous voulez dire parmi les personnes réunies l'autre soir chez Mrs. Drake ?

— Oui.

— Question difficile, car vous ne savez pas encore si l'assassin était parmi les invités ou s'il s'est introduit secrètement dans la maison. J'ai suivi de près le procès d'un garçon de vingt ans qui, arrêté pour un délit quelconque, a avoué un crime commis lorsqu'il n'avait que douze ans. Les psychiatres se sont penchés sur lui et ont décidé qu'il avait tué sous l'emprise d'une folie passagère. Votre assassin est peut-être du même calibre ; un garçon doux et estimé de ses camarades que la vue d'un ver dans la belle pomme qu'il mordait aura transformé en bête nuisible.

— Et personnellement, vous n'avez aucun soupçon ?

— Comment le pourrais-je sans preuve à l'appui ?

— Cependant, vous admettez bien que sans meurtrier, le crime n'aurait pas eu lieu ?

— Ces histoires se produisent sans doute dans le genre de romans qu'écrit votre protégée, Mrs. Oliver, mais elles n'obéissent pas à la logique, n'est-ce pas ? Vous n'avez rien qui puisse vous guider dans votre enquête. L'assassin de Joyce était-il parmi les invités ? Les domestiques ? ou est-il venu de l'extérieur ?

Quoi qu'il en soit, il s'est mêlé un moment à l'assistance.

Sous les sourcils broussailleux, un éclair de malice brilla dans le regard du médecin.

— Entre nous, je me trouvais moi-même à cette soirée. Pas longtemps, mais je suis passé pour voir comment se déroulait la Fête du Potiron.

CHAPITRE X

Poirot eut un regard appréciateur pour l'imposante façade des « Elms » avant de sonner et de se laisser conduire par une secrétaire zélée jusqu'au bureau de la directrice.

Miss Emlyn, installée derrière sa table de travail, se leva pour accueillir le visiteur.

— Ravie de vous rencontrer, monsieur Poirot. J'ai beaucoup entendu parler de vous.

— Vous êtes trop aimable, Miss.

— Et ce, par une de mes vieilles amies dont vous vous souvenez peut-être, Miss Bulstrode, ancienne directrice de Meadowbank.

— Miss Bulstrode est une personnalité difficilement oubliable.

— Je dois admettre que c'est grâce à elle que Meadowbank jouit de la réputation qui est la sienne à présent. — En soupirant, elle ajouta : Les méthodes d'éducation ont tendance à changer mais l'établissement conserve encore ses trois principes qui l'ont rendu célèbre : distinction, progrès et tradition. Excusez-moi, mais vous êtes sans doute ici pour que nous parlions de

Joyce Reynolds? Ce drame ne ressemble guère à ceux auxquels vous avez l'habitude de vous intéresser. Peut-être connaissez-vous la famille de la victime?

— Pas du tout. Je suis venu à la demande d'une amie, Mrs. Oliver, qui se trouvait présente à la soirée tragique.

— Ses romans sont charmants et j'ai eu, une ou deux fois, le plaisir de rencontrer Mrs. Oliver. Pour en revenir au meurtre de Joyce, il est évident qu'il s'agit d'un crime d'ordre psycho-pathologique. Ne pensez-vous pas?

— Non. A mon sens, nous sommes en présence d'un meurtre qui, comme beaucoup d'autres, a été commis pour un motif bien déterminé.

— Vraiment? Qu'est-ce qui vous incite à avancer cette opinion?

— Une remarque de Joyce elle-même. Au cours de l'après-midi précédant sa mort, elle a déclaré devant quelques camarades et parents venus poser les décorations, qu'elle avait eu l'occasion de surprendre quelqu'un commettant un crime.

— L'a-t-on crue?

— Dans l'ensemble, je ne le pense pas.

— Cela ne me surprend nullement, Joyce, pardonnez ma franchise, était une élève très médiocre, ni bête ni intelligente. Elle était surtout une menteuse incorrigible, sans pour cela être fourbe, car elle ne cherchait jamais à éviter les châtiments ou reproches que sa conduite lui attirait. Elle se vantait, usant de références qui ne reposaient sur rien. Elle tenait à impressionner ses compagnes. Et naturellement, depuis longtemps, personne n'ajoutait plus foi à ses racontars.

— Vous pensez donc qu'elle se glorifiait cette fois encore en prétendant avoir assisté à un meurtre?

— Certainement et Mrs. Oliver étant présente, elle a sans doute imaginé une histoire policière susceptible d'intéresser la romancière.

— Dans ce cas, il nous faudrait abandonner la théorie selon laquelle la mort de Joyce aurait été préméditée.

— Après réflexion, Poirot ajouta : Avez-vous le moindre soupçon pouvant nous éclairer sur la personnalité de celui que nous recherchons ?

— Hélas non, et pourtant j'estime connaître assez bien ceux de mes élèves qui se trouvaient à la soirée de Mrs. Drake.

— J'aimerais aborder une autre question concernant un membre de votre personnel qui est mort étranglé il y a deux ans et demi, Janet White, si je ne me trompe.

— Elle avait vingt-quatre ans et était une émotive. Je me souviens très bien d'elle. Il semblerait que le malheur soit arrivé un soir où elle avait décidé d'entreprendre une promenade solitaire, mais elle aurait pu tout aussi bien convenir d'un rendez-vous secret avec un garçon, car elle était, dans un cercle assez limité, très attrayante aux yeux des jeunes gens. Son assassin n'a jamais été démasqué bien que la police ait interrogé plusieurs suspects.

— Je constate, Miss Emlyn, que vous et moi partageons le même principe : nous n'approuvons pas le crime.

La directrice d'école observa un moment son visiteur avant d'avancer :

— Auriez-vous craint que je pense différemment ?

Elle demeura un instant plongée dans ses réflexions et Poirot respecta son silence. Se levant brusquement, Miss Emlyn appuya sur une sonnette.

— Je crois qu'il serait bon que vous ayez un entretien avec Miss Whittaker.

Poirot resta seul quelques minutes, puis une femme d'environ quarante ans, aux cheveux roux coupés court, entra d'une démarche décidée.

— Monsieur Poirot ? — demanda-t-elle en venant se planter devant le détective. — Miss Emlyn me dit que je pourrais vous être utile.

— Si Miss Emlyn le pense, je ne doute pas que ce soit la vérité. Je me fie à son jugement.

— Vous connaissez notre directrice depuis long-temps ?

— Seulement depuis cet après-midi.

— Vous vous êtes fait un opinion rapide sur son compte.

— Oui j'espère, vous confirmerez.

— Si je ne me trompe, votre présence dans notre pays est en rapport avec la mort de Joyce Reynolds ?

— Parfaitement.

Prenant place sur un siège face à celui du détective, l'institutrice s'enquit :

— Que désirez-vous savoir ?

— J'estime inutile de nous attarder à des questions superflues. Il s'est passé quelque chose à la soirée donnée par Mrs. Drake, quelque chose dont il serait bon que je sois mis au courant. Vous êtes d'accord ?

— Oui.

— Vous-même, étiez présente à cette soirée ?

— J'y étais. — Elle réfléchit avant de poursuivre. — Une soirée bien organisée, réunissant une trentaine de personnes, si nous comptons les domestiques et aides bénévoles.

— Avez-vous pris part aux préparatifs qui eurent lieu dans le courant de l'après-didi ?

— Oui, mais il n'y avait presque rien à faire. Mrs. Drake est capable de tout organiser avec l'appui d'un petit groupe de volontaires. Je ne vous parlerai pas de cette fête du Potiron, car je ne doute pas qu'on vous ait déjà renseigné là-dessus. Je tiens plutôt à vous relater un icident dont j'ai été témoin...

— Je vous écoute, mademoiselle...

Miss Whittaker se recueillit un instant avant de commencer.

— Le programme se déroulait comme prévu et la dernière attraction de la soirée — le *Snapdragon* — impressionna beaucoup les jeunes qui, réunis en cercle autour du plateau où flambaient les raisins secs impré-gnés de cognac, criaient et riaient alors que les mains se tendaient vers les fruits brûlants. L'atmosphère de la pièce était devenue étouffante et je l'abandonnai pour me réfugier un instant dans le hall désert. J'étais sortie depuis peu lorsque je vis Mrs. Drake apparaître sur le petit palier qui ouvre sur la salle de bain, entre le rez-de-chaussée et le premier étage. Elle portait un grand vase de feuillages mêlés de fleurs et se tint un moment appuyée à la balustrade, regardant vers le bas, non pas dans ma direction, mais vers la porte de la bibliothèque située dans le mur opposé et légèrement en retrait. Mrs. Drake resta ainsi immobile, le regard fixe, tout en ajustant d'un geste machinal la position du vase, sans doute très lourd, pour pouvoir contourner la balustrade et gagner le rez-de-chaussée, en prenant appui de sa main restée libre. Elle avançait avec précaution lorsque, brusquement, elle eut un mouvement de surprise, me sembla-t-il, et relâcha son étreinte autour du vase qui glissa et vint se briser au bas de l'escalier.

Comme la narratrice se taisait, Poirot la pressa douce-ment.

— A votre avis, qu'est-ce qui a pu lui causer une telle émotion ?

— Plus tard, en y réfléchissant, je me suis dit qu'elle avait dû voir la poignée de la porte tourner ou peut-être apercevoir quelqu'un « qui n'aurait pas dû se trouver là », jeter un coup d'œil sur le hall.

— Vous-même, avez-vous regardé dans la direction où se portaient ses yeux ?

— Non. Tout s'est passé trop vite.

— Et vous avez la certitude que Mrs. Drake a vu quelque chose qui l'aurait fait sursauter ?

— Oui. Une porte s'entrouvant ou une personne qu'elle n'attendait pas. Un incident banal, mais qui aura suffi à la distraire une seconde et à causer la chute du vase qu'elle tenait.

— Vous n'avez pas eu vous-même conscience d'une présence dans votre dos ?

— Non, mais peut-être qu'en nous découvrant, Mrs.

Drake et moi, l'inconnu aura bientôt battu en retraite dans la bibliothèque ? Quoi qu'il en soit, Mrs. Drake a poussé une exclamation de dépit en constatant l'accident et nous nous sommes toutes deux précipitées pour essayer de réparer les dégâts. « Regardez-moi ça. Un vrai désastre ! » s'est-elle écriée et nous avons repoussé les débris de verre dans un coin, remettant à plus tard le soin de les enlever, car les enfants commençaient à sortir de la salle à manger où le jeu de *Snadragon* venait de prendre fin.

— Mrs. Drake n'a fait aucun commentaire, ni parlé de ce qui l'avait émue au point de laisser échapper le vase qu'elle portait ?

— Non, elle n'a absolument rien dit.

— Cependant, vous avez bien vu son geste de surprise ?

— Vous supposez, peut-être, que je bâtis toute une histoire autour d'un vase brisé ?

— Pas du tout. — L'air pensif, Poirot précisa : je n'ai eu l'occasion de rencontrer Mrs. Drake qu'une fois, lorsqu'en compagnie de mon amie, Mrs. Oliver, je suis allé jeter un coup d'œil sur ce que l'on pourrait appeler « le théâtre du crime ». Lors de notre brève entrevue, Mrs. Drake ne m'a pas donné l'impression d'être une femme qui s'émeut facilemnt.

— Vous avez parfaitement raison et c'est bien pourquoi j'ai été étonnée de la voir se conduire comme elle l'a fait

— Vous ne lui avez pas posé de question à ce sujet ?

— Je n'avais aucune raison de l'interroger. Si votre hôtesse a le malheur de laisser échapper son plus beau vase de cristal, il n'est pas dans votre rôle d'inviter de demander : « Qu'est-ce qui a bien pu vous arriver ? » l'accusant implicitement par là d'une maladresse qui, je vous l'assure, ne correspond pas au caractère de Mrs. Drake.

Poirot hocha du chef et l'institutrice poursuivit :

— Après ce petit drame, la soirée prit fin. Les enfants

et leurs parents ou amis se retirèrent et Joyce ne répondit pas à nos appels. Nous savons maintenant qu'elle gisait derrière la porte de la bibliothèque et nous devons essayer de découvrir qui un peu plus tôt aura attendu que le hall fourmille de monde pour effectuer une sortie discrète.

— J'imagine, Miss Whittaker, que ce n'est qu'après que le corps ait été découvert que vous avez pensé à l'incident survenu dans les escaliers ?

— C'est exact. Se levant, elle conclut : Je crains de n'avoir rien de plus à vous apprendre. Je ne pense pas que ce que je vous ai révélé, vous aide dans votre enquête.

— Il s'agit d'un incident assez inattendu... et tout ce qui est hors de la normale peut s'avérer important. Si cela ne vous ennuie pas, j'aimerais vous poser encore une question... ou plutôt deux.

L'institutrice reprit sa place.

— Je vous écoute, monsieur Poirot.

— Pouvez-vous vous rappeler dans quel ordre se sont déroulées les attractions de la soirée ?

Après s'être recueillie un instant, Miss Whittaker annonça :

— Pour commencer, il y eut le concours des balais décorés, puis, une course au ballon et un jeu de saute-mouton, tous deux destinés à dégourdir les jeunes. Enfin, les filles se rendirent dans une petite pièce pour se livrer au jeu des miroirs.

— Comment avait-il été préparé ?

— Très simplement. L'imposte de la porte ayant été ouvert, plusieurs visages de garçons devaient y apparaître pour se refléter dans le miroir que tenait chaque joueuse à tour de rôle.

— Ces dernières reconnurent-elles leurs partenaires masculins ?

— Presque toutes, oui, bien qu'un léger maquillage accompagné de barbes postiches, faux nez et autres accessoires, ait modifié les physionomies. Ensuite, on passa à une course à obstacles et quelques danses précédèrent le goûter. Pour finir, tout le monde se réunit pour admirer le plateau où des raisins secs flambaient.

— Vous souvenez-vous quand vous avez vu Joyce pour la première fois ?

— Je ne saurais le préciser. D'abord, je la connaissais mal. Elle n'était pas de mes élèves. De plus, la jugeant peu intéressante, je ne m'occupais pas d'elle. Je me souviens cependant de l'avoir regardée couper le gâteau de farine — encore un jeu que j'oubliais — car elle s'y prenait avec une telle maladresse qu'elle fut presque tout de suite éliminée. Cela s'est passé assez tôt dans la soirée.

— Vous n'avez pas remarqué qu'elle ait suivi quelqu'un dans la bibliothèque ?

Miss Whittaker répondit, choquée :

— Certainement pas, sinon je vous l'aurais confié dès le début de notre entretien.

— Passons à un autre sujet, s'il vous plaît. Depuis combien de temps êtes-vous attachée à cette école ?

— Il y aura six ans à l'automne prochain.

— Et vous enseignez ?...

— Mathématiques et latin.

— Vous rappelez-vous de Janet White qui était ici il y a à peu près trois ans ?

Miss Whittaker eut un haut-le-corps.

— Voyons, monsieur Poirot, ce qui lui est arrivé n'a rien à voir avec l'affaire présente.

— Qui peut l'affirmer ?

— Excusez-moi, je ne comprends pas.

Poirot pensa à part lui que le corps enseignant était moins au courant que les commères du voisinage.

— Joyce assura, devant témoins, avoir assisté il y a quelques années à un acte criminel. Pensez-vous qu'elle ait voulu parler du meurtre de Miss White ?

— Janet a été étranglée un soir alors qu'elle regagnait son domicile après ses cours.

— Etait-elle seule ?

78

— Probablement pas.

— Miss Ambrose ne l'accompagnait pas ?

— J'aimerais pouvoir lui poser quelques questions. Comment étaient ces jeunes filles ?

Sèchement, Miss Whittaker répliqua :

— Des petites dévergondées, avec des goûts différents. Comment Joyce aurait-elle pu être au courant ? Le crime a eu lieu sur un chemin isolé à proximité de Quarry Wood et à l'époque cette enfant ne devait pas avoir plus de dix ans.

— Laquelle des deux jeunes filles avait un amoureux ?

— Tout cela est de l'histoire ancienne.

— Les vieux péchés projettent de grandes ombres, cita Poirot. On apprend en vieillissant la justesse de ce proverbe. Où se trouve Nora Ambrose, à présent ?

— Elle a quitté l'école pour prendre un poste dans le Nord. Le crime l'a, naturellement... bouleversée... Janet et elle avaient été... très amies.

— La police n'a jamais résolu l'affaire, à ce qu'il paraît ?

L'institutrice hocha négativement la tête et, consultant sa montre, se leva :

— Excusez-moi, je dois retourner à mon cours, maintenant.

CHAPITRE XI

Hercule Poirot leva les yeux sur la façade de Quarry House, parfait exemple de cette architecture solide et sans grâce qui marqua l'apogée du règne de Victoria. Il imagina facilement ce qu'abritaient les murs épais : de massives dessertes en acajou, assorties à des tables longues et pesantes, un salle de billard sans doute, une cuisine spacieuse, communiquant avec le lavoir, un carrelage luxueux et des cheminées profondes que l'on avait dû remplacer récemment par le chauffage à l'électricité ou au gaz.

A l'étage, des rideaux masquaient les fenêtres.

Une vieille femme maigre répondit au coup de sonnette du visiteur et l'informa que le colonel et Mrs. Weston se trouvaient à Londres et ne rentreraient pas avant une semaine.

Poirot l'interrogea sur Quarry Wood et apprit que les bois étaient ouverts au public, gratuitement. L'entrée, indiquée par un panneau posé sur un vieux portail, se situait à moins de cinq minutes de la maison.

Le détective trouva aisément le passage dont on venait de lui parler et s'engagea sur un sentier en pente douce

qu'encadraient des arbres et des massifs de rhododen-
drons.

Bientôt, il s'immobilisa en proie à des pensées confu-
ses. Son esprit ne se concentrait pas seulement sur le
décor environnant, mais encore sur des remarques, des
détails qui, lorsqu'il les avait entendus ou notés,
l'avaient poussé à réfléchir furieusement, suivant sa
propre expression. Un testament falsifié... un testament
falsifié et une jeune fille, celle-là même à l'avantage de
qui le testament avait été falsifié... Un artiste venu dans
le pays pour transformer une carrière abandonnée en un
jardin de rêve... Poirot embrassa le décor d'un regard
appréciateur et hocha la tête avec satisfaction. Rien,
dans le paysage étalé à ses pieds ne rappelait la banale
laideur d'une carrière. Ce qu'il voyait à présent, lui
remettait en mémoire un autre décor. Il savait que
Mrs. Llewellyn-Smythe s'était rendue en Irlande et lui-
même y avait séjourné quelques années plus tôt, alors
qu'il enquêtait sur la disparition de l'argenterie apparte-
nant à une vieille famille. L'affaire présentant certaines
singularités qui avaient éveillé sa curiosité et, sa mission
accomplie (comme de coutume avec succès) — Poirot
ajouta cette parenthèse au fil de ses pensées — il s'était
accordé quelques jours de repos afin de visiter les
environs.

Poirot ne se souvenait plus de l'emplacement exact du
jardin qu'il était allé visiter. Il se rappelait seulement
qu'il se situait du côté de Cork et de Bantry Bay. Ce
jardin était resté gravé dans sa mémoire parce qu'il ne
ressemblait en rien aux arrangements classiques qui
avaient sa préférence : les jardins à la française, la
beauté classique de Versailles... Il se rappelait avoir pris
le bateau avec un groupe d'estivants et les bateliers
avaient dû le hisser à bord tant cet exploit s'avérait pour
lui impossible. Ils avaient ramé vers une petite île, tout à
fait banale, de l'avis de Poirot qui regrettait déjà de
participer à l'expédition. Ses chaussures de ville prenaient l'eau et le vent se jouait de l'épaisseur de son

imperméable. Quelle beauté, quelles constructions esthétiques aurait pu abriter cette île rocailleuse ? Le bateau ayant touché le petit embarcadère, les bateliers avaient à nouveau aidé Poirot à enjamber la coque tandis que les autres touristes s'éloignaient en groupes joyeux. Après avoir rajusté son imperméable et relacé ses chaussures, Poirot s'était lancé sur leur trace, le long d'un sentier en pente raide, parmi des buissons et des arbustes tout à fait communs. Il éprouvait une déception qui allait grandissant au fur et à mesure qu'il progressait.

Et puis, brusquement, la végétation s'était amenuisée pour découvrir une clairière formée d'une terrasse en escaliers qui dominait ce qui, à première vue, pouvait passer pour un décor irréel. C'était comme si les génies primitifs inspirant les poètes irlandais, étaient brusquement sortis de leurs montagnes pour créer là, non à force de peine et de travail, mais par magie, un jardin enchanteur. Les fleurs, les buissons, la fontaine qui rendait un son cristallin, tout ravissait l'œil du visiteur mal préparé à un tel spectacle. Le terrain semblait s'être affaissé naturellement et était dominé par des touffes d'arbustes qui abritaient la terrasse des eaux de la baie dont les brumes encapuchonnaient les collines environnantes. Le détective estimait que ce jardin avait dû éveiller chez Mrs. Llewellyn-Smithe le désir de posséder une pareille merveille, choisissant tout particulièrement de l'implanter sur l'emplacement d'une carrière au milieu d'un décor conventionnel.

Elle s'était donc mise en quête de l'artiste capable de réaliser son rêve et avait trouvé en Michael Garfield l'oiseau rare qui, moyennant sans doute une grosse rétribution, accepta de se plier à ses désirs. Le paysagiste, jugea Poirot en regardant autour de lui, n'avait pas manqué à ses engagements envers sa cliente.

Le détective alla s'asseoir sur un banc et essaya d'imaginer le jardin à l'approche du printemps. Les jeunes hêtres et les troncs argentés des bouleaux, les buissons de roses, les petits genévriers... Même pour cette saison automnale, tout avait été prévu. L'or et le rouge des érables, un ou deux parrotias... Plus loin, un étroit sentier menant à de nouvelles découvertes l'explorateur ravi. Il remarqua aussi des massifs d'ajoncs à moins que ce ne fût des genêts d'Espagne. Poirot n'était pas très fort en botanique, seules les roses et les tulipes lui étaient familières, parce que ses fleurs préférées.

Mais tout ce qui était réuni là donnait l'impression d'être venu s'y grouper tout naturellement, sans qu'une main habile ait cherché à discipliner, à forcer la pousse des plantes. Pourtant, se murmurait Poirot, tout a été arrangé, planté avec minutie, aussi bien cette minuscule touffe de verdure qui s'étire au pied du banc que le large massif aux branchages majestueux s'élevant au centre du jardin.

De là, Poirot s'interrogea pour savoir à qui plantes et fleurs avaient obéi. A Mrs. Llewellyn-Smythe ou à Michael Garfield?... Ce détail comptait, il en avait la certitude. Mrs. Llewellyn-Smythe, une dame sans doute bien informée, connaissant le jardinage et s'y intéressant au point d'aller visiter les expositions, et de lire tous les catalogues. Elle avait dû établir minutieusement son choix et s'assurer de la réussite de son projet. Cela avait-il suffi? Poirot ne le pensait pas. La lady avait pu donner ses ordres au paysagiste et s'assurer qu'il se conformerait à ses désirs mais dans le même temps, avait-elle su — sans l'ombre d'un doute — si le résultat obtenu correspondrait exactement à l'idéal qu'elle avait imaginé? Or, Michael Garfield avait compris ce que sa cliente attendait de lui et il avait réussi à transformer cette carrière désolée en une oasis.

— En Angleterre — remarqua Poirot à haute voix — les gens vous emmènent contempler leurs roses. Ils se lancent dans des explications interminables touchant leurs iris et vous proposent une promenade sous le soleil à l'époque où les hêtres abritent sous leurs feuillages légers, une foule de campanules. Un très beau spectacle

sans doute, mais je préfère à cela..., il se tut et revit en
pensée ce qu'il préférait : une promenade sur les sentiers
du Devon. Un chemin tortueux flanqué de part et
d'autre de hauts talus couverts de roses trémières, si
pâles, si légèrement teintées de jaune et répandant ce
parfum insaisissable qu'elles ne dégagent que lorsqu'elles sont en grande quantité et qui résume mieux que ne
pourrait le faire tout autre plante, l'odeur du printemps.

Poirot en vint à se demander à quoi ressemblaient les
occupants actuels de Quarry House. Il avait retenu leur
nom, un colonel en retraite et sa femme, mais Spencer
ne lui avait rien révélé d'autre sur leur compte. Il eut le
sentiment que ces gens-là n'étaient pas attachés à leur
propriété, comme l'avait été la vieille dame.

Le détective se leva et suivit le sentier à pas lents. Le
sol bien aplani permettait à une personne âgée d'aller et
venir sans risquer de buter ou de se fatiguer dans des
montées et des descentes continuelles. Des bancs d'aspect rustique bien que très confortables, avaient été
placés à intervalles réguliers de façon à faire profiter au
maximum du décor. Poirot s'avoua que si Michael
Garfield habitait toujours le bungalow ou le cottage
construit pour lui, il aurait grand plaisir à le rencontrer... Il interrompit brusquement le cours de ses pensées
et son œil se fixa, au-delà d'un creux que contournait le
chemin, sur des branchages roux qui dissimulaient en
partie ce qu'il prit d'abord pour un effet de lumière dans
les feuillages.

Poirot réalisa soudain que c'était un jeune homme
qu'il apercevait parmi les branchages aux tons chan-
geants, un jeune homme d'une beauté exceptionnelle.

Poirot contourna la dépression. Alors qu'il achevait de
parcourir le demi-cercle formé par le sentier, le jeune
homme sortit de derrière son rideau de branchages et
s'avança à sa rencontre. Sa jeunesse semblait être ce qui
le caractérisait le mieux et cependant, alors qu'il appro-
chait, Poirot constata qu'il n'était pas particulièrement
jeune. Il devait avoir entre trente et quarante ans ; sur

ses lèvres errait un vague sourire de reconnaissance plutôt que de bienvenue. Grand et mince, il avait des yeux à l'éclat velouté et ses cheveux noirs lui emprisonnaient la tête à la manière d'un casque moyenâgeux.

Lorsque Poirot parvint à la hauteur du jeune homme, il déclara à haute voix :

— Veuillez m'excuser si j'empiète sur une propriété privée. Je suis étranger dans le pays où je ne me trouve que depuis hier.

— Il n'est pas nécessaire de vous excuser. — La voix était claire, mais le ton poli cachait une indifférence totale. — Bien que cet endroit ne soit pas ouvert au public, les gens viennent s'y promener. Le colonel et sa femme ne s'en offusquent pas aussi longtemps que les passants ne commettent pas de dégâts. D'ailleurs, ils n'en font jamais.

— Je n'ai pas remarqué, en effet, la moindre trace de vandalisme. Pas de papiers non plus, ni de corbeilles destinées à les recevoir. C'est plutôt inhabituel, non ? L'endroit est désert, alors qu'on s'attendrait à y rencontrer nombre de couples d'amoureux.

— Les amoureux ne viennent pas se promener par ici. Il paraît que le jardin porte malheur.

— Je n'en veux rien croire ! Oh ! pardonnez-moi, je m'appelle Hercule Poirot.

— Michael Gurfield.

— Je m'en doutais ! Vous êtes l'auteur de cette merveille ?

— En effet.

— Je ne vous cacherai pas mon étonnement de voir un tel enchantement dans ce que je nommerai en toute franchise, un paysage bien médiocre. Tous mes compliments. Ce que vous avez réussi-là doit vous procurer une grande satisfaction ?

— Est-on jamais complètement satisfait ?

— Vous avez créé ce jardin pour une Mrs. Llewellyn-Smythe, à ce qu'il paraît ? Et on m'a dit aussi que sa maison est habitée depuis sa mort par un certain colonel

Weston et sa femme. Sont-ils les nouveaux propriétaires ?

— Parfaitement. Ils ont d'ailleurs eu la propriété à un prix dérisoire. La maison est très grande, assez laide et difficile à entretenir. A l'heure actuelle, les gens ne veulent plus s'encombrer de pareilles casernes. Mrs. Llewellyn-Smythe me l'avait laissée par testament.

— Et vous l'avez vendue ?

— Oui.

— Mais pas le jardin ?

— Le jardin aussi, par-dessus le marché, pour ainsi dire.

— Pourquoi donc ? Excusez ma curiosité.

— Vos questions changent un peu de celles qu'on a coutume d'entendre.

— Je ne questionne pas pour découvrir des faits, mais plutôt pour trouver des raisons. Par exemple, pourquoi A a-t-il agi de cette façon et pas de celle-là ? Pourquoi B prend-il une attitude contraire ? Et pour quels motifs C se comporte-t-il d'une manière qui ne ressemble en rien à celles de A et de B ?

— Vous devriez parler à un biologiste. C'est une question d'évolution ou de chromosomes, à ce qu'il me semble.

— Vous venez de dire que vous n'étiez pas entièrement satisfait parce qu'il est impossible de l'être vraiment. Votre cliente l'était-elle, elle, du résultat obtenu ici ?

— Jusqu'à un certain point, oui.

— En tout cas, vous avez créé ici quelque chose de très beau, en ajoutant l'imagination à la science. Tous mes compliments. Acceptez le tribut d'admiration d'un vieil homme qui approche de l'heure où son propre travail touche à sa fin.

— Mais qui, pour le moment, continue ?

— Vous savez donc qui je suis ?

Poirot en fut indubitablement flatté. Il aimait à être

reconnu dans un monde où l'on tendait de plus en plus à ignorer son identité.

— Vous suivez la piste ensanglantée... Dans une petite communauté comme la nôtre, les nouvelles circulent vite. C'est un autre personnage familier du succès qui vous a amené jusqu'à nous.

— Vous faites sans doute allusion à Mrs. Oliver ?

— Ariadne Oliver. Auteur à gros tirage. Les reporters se ruent chez elle pour l'interviewer sur des sujets tels que l'agitation chez les étudiants, le socialisme, la tenue vestimentaire des filles modernes, les rapports entre couples non mariés et bien d'autres choses qui ne la regardent en aucune façon.

— Oui, en effet. Et à mon avis, tout cela est déplorable. Je constate cependant qu'ils n'apprennent pas grand-chose d'elle, sinon qu'elle aime les pommes. D'ailleurs, ce détail est connu du public depuis au moins vingt ans et néanmoins, elle continue à le divulguer avec la même sérénité. Je crains pour elle qu'elle n'aime plus tellement les pommes, désormais.

— C'est à cause d'une histoire de pommes que vous êtes ici, n'est-ce pas ?

— Oui. Des pommes à la fête du Potiron. Vous étiez présent à cette soirée ?

— Non.

— Vous avez de la chance.

— De la chance ? Michael Garfield répéta les mots d'un ton étonné.

— Compter au nombre des invités d'une soirée où un crime a été commis n'a rien d'agréable. On vous demande votre emploi du temps, des dates, on vous pose un tas de questions indiscrètes. Vous connaissiez la fillette ?

— Certainement. Les Reynolds sont connus de tous dans le pays. Je suis d'ailleurs en excellents termes avec les habitants de la région. A Woodleigh Common, chacun est plus ou moins intime ou ami avec ses voisins.

— Comment était-elle, cette Joyce ?

— Insignifiante. Elle possédait un timbre de voix très désagréable, criard. Ma foi, c'est à peu près tout ce dont je me souviens sur son compte. Je n'aime pas les enfants. Ils m'ennuient. Joyce m'ennuyait. Lorsqu'elle parlait ce n'était que d'elle-même.

— En bref, pas intéressante ?

La question parut surprendre le paysagiste.

— Je ne le pense pas. Aurait-elle dû l'être ?

— A mon avis, les personnes sans intérêt courent rarement le risque d'être assassinées. Les meurtriers tuent par amour, par convoitise ou par peur. On a le choix, mais il faut un point de départ... — Jetant un coup d'œil à sa montre, il déclara : Excusez-moi, je dois me remettre en route, car on m'attend. Encore tous mes compliments.

Il reprit sa promenade, avançant avec précaution. Pour une fois, il se félicitait de ne pas porter ses souliers vernis trop étroits.

Michael Garfield n'était pas la seule personne qu'il devait rencontrer dans le jardin. Alors qu'il parvenait au bout du chemin qui se divisait en trois sentiers, il vit, à quelques pas de lui, une fillette assise sur un tronc d'arbre renversé. A son approche, elle se leva.

— Vous êtes sans doute monsieur Hercule Poirot ?

Sa voix avait un ton cristallin qui s'harmonisait avec sa taille menue et son apparente fragilité. Quelque chose en elle évoquait le jardin enchanté et lui donnait l'apparence d'une dryade ou d'un lutin.

— Lui-même.

— Je suis venu à votre rencontre. Vous prenez bien le thé chez nous ?

— Avec Mrs. Butler et Mrs. Oliver ? Exact.

— Mummy et tante(1) Ariadne. — Elle ajouta sur un ton de reproche : Vous êtes en retard.

---

(1) En Angleterre, les enfants appellent les amis de leurs parents « tante et oncle » une habitude qui leur évite de s'adresser aux adultes en usant de leur nom propre.

— J'en suis désolé. Je me suis arrêté pour parler avec quelqu'un.

— Je vous ai vu, en effet. Il s'agissait de Michael.

— Vous le connaissez ?

— Bien sûr. Nous sommes ici depuis si longtemps que je connais tout le monde.

Curieux, Poirot lui demanda quel âge elle avait.

— Douze ans et l'année prochaine j'entrerai en pension.

— Cela vous plaira-t-il ?

— Je ne le saurai vraiment que le moment venu. Il faut que vous veniez à présent.

— Mais certainement, certainement. Pardonnez-moi encore d'être en retard.

— Cela n'a pas grande importance.

— Comment vous appelez-vous ?

— Miranda.

— A mon avis, ce nom vous sied à merveille.

— A cause de Shakespeare ?

— Oui. L'étudiez-vous à l'école ?

— Miss Emlyn nous lit parfois certains passages de ses œuvres.

S'engageant sur le sentier central, la fillette annonça :

— Nous n'avons pas très loin à aller et nous déboucherons au fond de notre jardin.

Regardant par-dessus son épaule, elle indiqua du menton le milieu du jardin qu'ils abandonnaient.

— C'est là-bas que se trouvait la fontaine.

— Quelle fontaine ?

— Oh ! c'est si vieux ! J'imagine qu'elle existe toujours sous les arbustes et les azalées. Elle était toute cassée vous comprenez. On l'a démantelée et personne n'en a construit une autre pour la remplacer.

— C'est dommage, vous ne croyez pas ?

— Aimez-vous beaucoup les fontaines ?

— *Ça dépend* (1).

_____

(1) En français dans le texte.

— Je connais un peu de français et j'ai compris votre remarque.

— Vous semblez avoir reçu une très bonne éducation.

— Tout le monde dit que Miss Emlyn est un excellent professeur. Elle est notre directrice et bien qu'elle se montre souvent d'une sévérité excessive, ses leçons sont parfois très intéressantes.

— Venez-vous souvent ici?

— C'est une de mes promenades favorites. Vous comprenez, lorsque je suis là, personne ne sait où je me trouve. Je grimpe aux arbres et m'assieds sur les branches pour regarder un tas de choses. Cela me plaît d'observer ce qui se passe alentour.

— Quoi, par exemple?

— Les oiseaux et les écureuils.

— Et les gens?

— Quelquefois. Mais bien peu passent par là.

— Je me demande pourquoi.

— Peut-être ont-ils peur?

— Pour quelle raison auraient-ils peur?

— Parce qu'il y a longtemps, quelqu'un a été tué dans ce coin. Je veux dire, avant que le jardin ne soit créé. On l'a trouvé sous un tas de pierres, ou de graviers. Pensez-vous que le vieux proverbe soit juste, celui qui dit qu'on naît pour être pendu ou noyé?

— Personne n'est né pour être pendu, de nos jours. Cette coutume n'est plus pratiquée en Angleterre.

— Mais elle persiste dans d'autres pays où l'on pend les gens jusque dans la rue. Je l'ai lu dans le journal.

Miranda ajouta du même ton:

— Joyce a été noyée. Mummy ne voulait pas me l'apprendre, ce qui est assez stupide, ne trouvez-vous pas? J'ai tout de même douze ans.

— Joyce était-elle de vos camarades?

— Oui. Dans un sens. Elle me racontait parfois des choses fort intéressantes, à propos d'éléphants et de rajahs. Elle a eu l'occasion de voyager aux Indes. J'aimerais bien y aller. Joyce et moi, nous nous confiions tous nos secrets. Personnellement, je n'en ai pas tant que Mummy. Savez-vous qu'elle est allée en Grèce ? C'est là-bas qu'elle a fait la connaissance de tante Ariadne, mais je n'étais pas du voyage.

— Qui vous a appris la nouvelle au sujet de Joyce ?

— Mrs. Perring, notre cuisinière. Elle en parlait avec Mrs. Mindens, la femme de ménage. Quelqu'un lui a maintenu la tête dans un seau d'eau, n'est-ce pas ?

— Soupçonnaient-elles qui aurait pu être ce quel-qu'un ?

— Je ne pense pas. Elles ne semblaient pas s'en douter. Il est vrai qu'elles sont toutes les deux très sottes.

— Et vous, Miranda, le savez-vous ?

— Je n'étais pas présente à la soirée. Ce jour-là, j'avais mal à la gorge et un peu de température. Mummy n'a pas voulu me laisser sortir. Nous allons passer à travers les massifs. Prenez garde de ne pas accrocher vos vêtements.

Poirot obéit, mais les espaces très limités d'une haie convenaient mieux à la mince silhouette d'une enfant qu'à la sienne. Le petit guide se montra cependant plein de sollicitude, prévenant le détective à propos des épines et écartant quelques branches redoutables pour lui permettre de passer sans encombre. Ils se retrouvèrent au fond d'un jardin négligé et suivirent une allée bordant un potager rudimentaire. Bientôt, ils atteigni-rent un espace étroit, mais parfaitement entretenu, parsemé de rosiers et menant à un bungalow.

Précédant le détective, Miranda monta quelques mar-ches et s'immobilisa sur le seuil du salon qui s'ouvrait par une double-fenêtre pour annoncer avec l'orgueil du collectionneur qui vient de capturer un rare spécimen de sacarabée :

— J'ai réussi à le trouver !

— Miranda ! Vous ne lui avez pas fait passer la haie ! s'écria sa mère. Vous auriez dû contourner le chemin et emprunter l'allée centrale !

Mrs. Oliver s'avança, indécise.

— Je ne me souviens plus si je vous ai déjà présenté à mon amie Mrs. Butler?

— Certainement. Au bureau de poste.

Les présentations s'étaient faites très vite, alors que les intéressés se trouvaient dans la queue devant un guichet. Poirot put, cette fois, mieux observer l'amie de Mrs. Oliver. Il en gardait le souvenir d'une mince silhouette drapée dans un imperméable et coiffée d'un joli foulard. Judith Butler devait avoir dans les trente-cinq ans et alors que sa fille ressemblait à une nymphe des bois, on associait mieux la mère aux ondines. Elle aurait pu être une jeune fille rhénane avec ses longs cheveux blonds lui tombant sur les épaules et son visage délicat, un peu trop allongé, aux pommettes creuses, mais éclairé de deux grands yeux verts frangés de cils très fournis.

— Je suis ravie d'avoir l'occasion de pouvoir vous remercier comme il se doit, monsieur Poirot. C'est bien aimable à vous d'être venu à Woodleigh Common sur la prière d'Ariadne.

— Lorsque Mrs. Oliver me demande quelque chose, je ne puis que me conformer à ses désirs.

— Quel gentil mensonge! s'exclama l'intéressée.

— Elle est certaine que vous pourrez démêler cette affaire épouvantable. Miranda, ma chérie, pouvez-vous aller dans la cuisine? J'y ai laissé les « scones » que vous trouverez sur un plateau au-dessus du four.

Avant d'obéir, Miranda adressa à sa mère un sourire qui signifiait clairement : « Vous voulez m'éloigner pour un temps, n'est-ce pas ? »

Lorsqu'elle eut disparu, Mrs. Butler reprit :

— J'ai agi de mon mieux pour qu'elle n'apprenne pas les détails de... de cette horrible aventure, mais j'aurais dû comprendre qu'elle ne pourrait longtemps les ignorer.

— Rien, en effet, madame, ne fait plus vite le tour d'une petite communauté que la nouvelle d'un drame, surtout un drame comme celui qui vient d'avoir lieu. Et de toute manière, on ne peut avancer longtemps dans la vie sans découvrir ce qu'il se passe autour de nous. Les enfants se montrent d'ailleurs tout particulièrement aptes à le réaliser très tôt.

Mrs. Oliver intervint :

— Je ne me souviens plus si c'est Bruns ou Sir Walter qui a écrit : « Il y a parmi nous un enfant qui prend des notes », mais il savait certainement de quoi il parlait.

Mrs. Butler enchaîna :

— Il semblerait que Joyce Renolds ait remarqué quelque chose qui se rapporte à un meurtre. On a cependant du mal à le croire.

— Croire qu'elle ait pu l'avoir remarqué ?

— Croire que si elle a vraiment eu l'occasion d'en être témoin, elle ait pu attendre si longtemps pour en parler. Ce trait ne correspond nullement à son caractère.

— Le point sur lequel tout le monde ici paraît d'accord, c'est de voir en Joyce une menteuse invétérée.

Judith Butler hasarda :

— J'imagine qu'il est peut-être possible qu'une enfant invente une histoire qui, par la suite, s'avère exacte ?

— Ne nous égarons pas, madame, et partons de ce fait : le meurtre de Joyce.

— Je suis sûre que vous avez déjà bien progressé, exulta Mrs. Oliver. Il est même possible que vous ayez mentalement résolu toute l'affaire.

— Madame, ne me demandez pas l'impossible. Vous êtes toujours si pressée.

— Pourquoi pas ? Personne n'arriverait à rien de nos jours, s'il ne se hâtait.

Miranda revint à ce moment, portant une assiette de scones.

— Dois-je les mettre sur la table, Mummy ? Vous avez sans doute fini de bavarder ? Ou bien me faut-il retourner à la cuisine ?

Sa voix avait un accent moqueur. Mrs. Butler attira à elle la théière en argent ancien, y versa une pincée de thé et l'eau bouillante, puis servit tandis que Miranda passait les assiettes de scones et de sandwiches au concombre avec un sérieux plein d'élégance.

— Adriadne et moi nous sommes connues en Grèce, annonça Mrs. Butler.

Son amie enchaîna :

— J'étais tombée à l'eau alors que nous revenions d'une petite île et que les marins ne cessaient de répéter « sautez », ce que je fis au moment où le bateau était poussé par une vague. Judith aida à me repêcher et cela a créé une sorte de lien entre nous. N'est-ce pas, Judith ?

— Parfaitement. D'ailleurs, j'ai tout de suite aimé votre prénom. Sans que je puisse expliquer pourquoi, je trouve qu'il vous va.

— Je crois savoir qu'il est grec. C'est mon nom de baptême et je ne l'ai pas inventé pour signer mes livres. Mais rien de ce qu'il implique ne m'est jamais arrivé. Par exemple, je n'ai pas été abandonnée sur une île grecque par mon bien-aimé !

Poirot mit discrètement la main devant ses moustaches pour dissimuler le léger sourire qu'il ne put réprimer à la pensée de Mrs. Oliver en jeune vierge délaissée.

— Nous ne pouvons tous vivre en accord avec la destinée de nos prénoms, constata Mrs. Butler.

— Non et pour ma part, je ne puis vous imaginer tranchant la tête de votre amant, comme dans l'histoire de Judith et Holopherne.

D'un ton doux et posé, Miranda intervint :

— Si je devais tuer quelqu'un, je m'y prendrais en usant de beaucoup de gentillesse. Ce serait sans doute difficile, mais je n'aime pas faire du mal. J'aurais recours à une drogue et il s'endormirait en faisant des rêves merveilleux dont il ne sortirait plus. — Disposant soigneusement les tasses sur le plateau, elle proposa : Je vais laver ces choses, Mummy, et si vous voulez, vous pourrez montrer le jardin à M. Poirot. Il y a encore quelques roses « Reine Elizabeth ».

Elle sortit, portant son chargement avec précaution.

— Miranda est une enfant extraordinaire, constata Mrs. Oliver.

— Vous avez une très jolie fillette, madame, renchérit Poirot.

— Oui, je crois qu'elle embellit. On ne sait jamais comment seront les enfants, une fois grands, car leurs traits changent souvent durant leur adolescence. J'avoue que maintenant, Miranda ressemble assez à une nymphe des bois.

— Il n'est donc pas étonnant qu'elle aime le jardin qui jouxte le vôtre.

— Parfois je souhaiterais qu'elle n'y soit pas si attachée. Cela me rend nerveuse de songer aux rencontres que l'on peut faire en des lieux isolés, même s'ils se situent à proximité du village ou de maisons forestières. Et c'est pourquoi il faut absolument que vous découvriez, monsieur Poirot, pour quelles raisons Joyce est morte de façon aussi affreuse. Tant que nous ne saurons pas qui est le criminel, nous ne nous sentirons pas en sécurité, à cause de nos enfants, vous comprenez. Ariadne, accompagnez M. Poirot dans le jardin. Je vous rejoindrai dans un instant.

Alors que leur hôtesse finissait de desservir et gagnait la cuisine, Mrs. Oliver entraînait Poirot à l'extérieur. Le petit jardin était semblable à beaucoup d'autres en cette saison automnale. Il lui restait encore quelques gerbes d'or et de marguerites de la Saint-Michel, ainsi que des roses aux pétales délicats, dressées sur leurs tiges durcies. Mrs. Oliver se dirigea vers un banc de pierre sur lequel elle se laissa tomber en invitant Poirot à l'imiter.

— Judith a admis que Miranda ressemblait à une nymphe de la forêt, fit-elle, mais vous-même que pensez-vous de Judith ?

— Je trouve qu'elle devrait s'appeler Ondine.

— Mais votre opinion sur elle ?

— Je n'ai pas encore eu le temps de me former une opinion définitive sur son caractère. Je dirai seulement que quelque chose semble la tourmenter.

— Cela vous étonnerait-il ?

— Ce que j'aimerais, madame, c'est que vous, vous me confiiez ce que vous savez et pensez d'elle.

— J'admets que j'ai eu la chance de bien la connaître durant notre croisière.

— Vous ne la connaissiez pas avant ?

— Non.

— Des détails sur Mrs. Butler ?

— Elle est veuve. Son mari, un pilote d'aviation, est mort il y a des années, au cours d'un accident. J'ai l'impression qu'il a laissé sa femme assez démunie. Sa mort soudaine l'a beaucoup bouleversée et elle n'aime pas en parler.

— Miranda est sa seule enfant ?

— Oui. Judith travaille dans le voisinage comme secrétaire à mi-temps. Elle n'a pas d'emploi fixe.

— Avez-vous rencontré la propriétaire de Quarry House ?

— Vous voulez dire le colonel et Mrs. Weston ?

— Non, la propriétaire précédente, Mrs. Llewellyn-Smythe.

— Il me semble avoir entendu quelqu'un mentionner ce nom, mais elle est morte depuis deux ou trois ans. Les vivants ne vous suffisent-ils donc plus ?

— Certainement pas. Je dois aussi me renseigner sur ceux qui sont morts ou qui ont disparu.

— Qui a disparu ?

— Une jeune fille « au pair ».

— Mon Dieu ! Elles ont presque toutes la manie de disparaître, comme vous dites ! Vous ne croiriez jamais certaines histoires que me révèlent mes amies sur leurs filles « au pair ».

— Il n'y a pas lieu de penser que celle à laquelle je faisais allusion a été assassinée. Ce serait plutôt le contraire.

— Que voulez-vous dire par là ? Votre remarque n'a aucun sens.

— Probablement pas. Tout de même...

Il sortit son calepin et griffonna quelques mots sur une page déjà couverte de caractères.

— Qu'êtes-vous en train d'écrire ?

— Je note certains événements qui se sont déroulés dans le passé.

— Vous semblez vous préoccuper beaucoup du passé ?

— Le passé est le père du présent. — Tendant son calepin, il offrit : Voulez-vous savoir ce que j'ai marqué ?

— Naturellement !

Poirot ouvrit une page sur laquelle était inscrit : *Décès* par exemple, Mrs. Llewellyn-Smythe (très riche), Janet White (maîtresse d'école), clerc de notaire (poignardé). Précédemment poursuivi en justice pour falsification de documents.

En dessous, on lisait :

« Fille au pair disparaît. »

— Pourquoi aurait-elle disparu ?

— Parce qu'elle était sur le point d'avoir des ennuis d'ordre juridique.

Plus bas, Poirot indiqua un mot « Falsification » suivi de deux points d'interrogation.

— Falsification ? Pourquoi falsification ?

— C'est ce que je me suis demandé. *Pourquoi ?*

— Quel genre de falsification ?

— Un testament, ou plus exactement le codicille d'un testament, et qui devait avantager la fille « au pair ».

— Manœuvres captatoires ? suggéra Mrs. Oliver.

— Une falsification de documents, c'est beaucoup plus sérieux que de simples manœuvres captatoires.

— Je ne vois cependant pas quel rapport cela peut avoir avec le meurtre de la pauvre Joyce ?

— Moi non plus. Par conséquent, c'est intéressant.

— Quel est ce mot qui vient ensuite ? Je ne puis le déchiffrer.

— Eléphants.

— Eléphants !

— Ils peuvent avoir leur importance.

Se levant, il annonça :

— Il me faut partir, à présent. Veuillez m'excuser auprès de notre hôtesse de ne pas prendre congé d'elle. J'ai eu beaucoup de plaisir à faire sa connaissance et celle de sa charmante et extraordinaire enfant. Conseillez-lui de bien veiller sur sa fillette.

— Au revoir. Vous aimez à être mystérieux et j'imagine que rien ne vous fera jamais changer d'attitude. Vous ne dites pas quel est votre programme à venir.

— J'ai pris rendez-vous pour demain matin avec Messrs. Fullerton, Harrison et Leadbetter, notaires à Medchester pour parler entre autres de falsification.

— Et ensuite ?

— J'essaierai de voir certaines personnes.

— Celles qui étaient présentes à la soirée ?

— Non, celles qui étaient présentes à la préparation de la soirée.

CHAPITRE XII

Les bureaux de Fullerton, Harrison et Leadbetter étaient un parfait exemple de ces vieilles firmes traditionnelles jouissant d'une réputation exceptionnelle. Les ans y avaient cependant laissé leur marque. MM. Harrison et Leadbetter n'existaient plus, leurs noms ayant été remplacés par ceux de Mr. Atkinson et Mr. Cole, le benjamin de la firme. Le principal associé, Mr. Fullerton, exerçait toujours.

Vieillard grand et sec, Mr. Fullerton présentait un visage impassible, une voix sèche imprégnée des longs discours juridiques qu'elle développait depuis bientôt un demi-siècle, un regard étonnamment inquisiteur et pénétrant. A sa portée, se trouvait le papier qu'une secrétaire venait de lui remettre et sur lequel il relut pour la seconde fois les nom et qualité de son visiteur.

Levant les yeux, il soupesa du regard Hercule Poirot assis en face de lui. Un homme d'un certain âge qu'il jugea étranger, tiré à quatre épingles et qui lui était recommandé par l'inspecteur Henry Raglan du C.I.D., et un Superintendant (retraité) de Scotland Yard.

— Superintendant Spencer, hé ?

Fullerton le connaissait, un homme qui avait fait du bon travail dans son temps et n'avait reçu que des éloges de ses supérieurs. Quelques vagues souvenirs revinrent à l'esprit du notaire, touchant une affaire qui fit beaucoup de bruit, bien qu'au départ elle parût résolue d'avance. Il se souvint que son neveu Robert y avait tenu le rôle d'avocat en second et que l'inculpé était un malheureux souffrant apparemment de psychopathie. Un imbécile qui refusait de se défendre et donnait l'impression qu'il ne souhaitait rien de mieux que de se laisser pendre. A l'époque les criminels jouaient leur tête.

Spencer avait eu la responsabilité de l'affaire. Calme, résolu, il avait insisté tout au long du procès, pour répéter qu'on accusait un innocent. Il avait vu juste et celui auquel il avait demandé assistance pour prouver l'innocence de l'accusé, était une sorte d'amateur, de nationalité belge. Un détective retraité de la Sûreté belge. Déjà pas très jeune à l'époque, il devait être maintenant probablement sénile — estima Fullerton qui décida néanmoins de prendre son visiteur au sérieux. On attendait de lui certaines informations, des informations qu'il ne pourrait refuser de donner d'autant plus que pour l'affaire présente — un meurtre d'enfant — il ne croyait pas savoir quoi que ce soit de révélateur.

Mr. Fullerton avait sa petite idée sur l'identité du meurtrier, mais il n'aurait jamais osé la communiquer à quiconque, car sa théorie ne reposait sur aucune preuve.

Toutes ces réflexions passèrent très vite dans l'esprit de Mr. Fullerton qui éclaircit sa voix asthmatique avant de parler.

— Que puis-je pour vous, monsieur Poirot? Je me doute que vous venez à propos de la petite Reynolds et je ne vois vraiment pas en quoi je pourrais vous être utile. Je ne sais presque rien de ce qui est arrivé.

— Mais vous êtes, si je ne me trompe, le conseiller légal des Drake?

— En effet. Hugo Drake, le pauvre, était un garçon

charmant. Je connais les Drake depuis des années, exactement depuis le jour où ils sont venus se fixer dans la région, en achetant « Les Pommiers ». Mr. Drake a contracté la polio alors que le couple voyageait à l'étranger. Ses facultés intellectuelles sont restées intactes, mais il est devenu paralysé et a beaucoup souffert.

— Vous aviez aussi, si mes renseignements sont exacts, la charge des affaires de Mrs. Llewellyn-Smythe ?

— La tante ? C'était une femme remarquable. Elle s'est installée à Woodleigh Common pour des raisons de santé et aussi pour se rapprocher de son neveu. Elle a acheté une grande bâtisse encombrante, Quarry House, qui lui a coûté une fortune, alors qu'elle eût pu facilement trouver mieux, elle a choisi cet endroit à cause de la carrière abandonnée qui la fascinait. Comme elle était très riche, elle a fait venir tout spécialement un paysagiste habile lequel a réussi des merveilles ; cela lui a valu une belle notoriété dans les magazines tels que « Maisons et Jardins » Mrs. Llewellyn-Smythe est morte il y a deux ans.

— De façon soudaine ?

Fullerton lança un regard inquisiteur à Poirot.

— Ma foi, je n'irai pas aussi loin. Elle souffrait d'une maladie de cœur et quoi que les médecins essayassent de l'obliger à se ménager, elle n'était pas le genre de femme à suivre des conseils de prudence. Mais... excusez-moi, nous nous écartons du sujet qui vous amène.

— Pas tellement. J'aimerais vous poser quelques questions d'un ordre tout différent. Je souhaiterais, par exemple, que vous me donniez des renseignements sur un de vos anciens employés, Lesley Ferrier.

Mr. Fullerton haussa les sourcils, surpris.

— Lesley Ferrier ? Ma foi, j'avais presque oublié son nom. Je me souviens. Il a été poignardé.

— C'est cela.

— Je doute de pouvoir vous apprendre grand-chose sur son compte. Il a été assassiné un soir, alors qu'il sortait du pub *Le Cygne Vert* à Woodleigh Common et bien que la police ait eu des soupçons, elle n'a procédé à aucune arrestation, faute de preuves.

— S'agissait-il d'un crime passionnel, à votre avis ?

— Sans doute. Ferrier s'est affiché longtemps avec la tenancière du pub en question et l'a, paraît-il, laissée tomber, lui préférant une jeune fille. Il semblerait, d'autre part, qu'il remportait beaucoup de succès auprès du sexe faible et qu'il lui arrivait parfois de se faire corriger par des maris jaloux.

— Etiez-vous content de son travail ?

— Oui et non. Il possédait des qualités incontestables, mais sa vie privée l'absorbait trop.

— Pensez-vous, comme la police, que Ferrier a été poignardé par une femme jalouse ?

— Ma foi...

Son interlocuteur haussant les épaules, Poirot insista :

— Auriez-vous des doutes s'orientant dans une autre diection ?

— Disons que j'aurais aimé réunir plus de preuves décisives. Le tribunal a rejeté les hypothèses invoquées par la police, elles n'étaient pas suffisantes pour supporter ses accusations (1).

— La police se trompait peut-être en se concentrant uniquement sur la théorie du crime passionnel ?

— Peut-être. Les éventualités ne manquent pas dans un crime de ce genre. Le jeune Ferrier n'était pas un caractère stable et bien qu'il ait été élevé sévèrement par sa mère, une veuve, il affichait des penchants semblables à ceux de son défunt père. Comme lui, il fréquentait des voyous et participa à des affaires assez louches. Je lui avais pourtant accordé une seconde chance après qu'il eût été impliqué dans une histoire de faux documents. A l'époque, il était encore très jeune et j'ai eu

_____

(1) En Angleterre, pour tout délit, la police est appelée devant le Tribunal à présenter un dossier où sont accumulées toutes les preuves contre l'accusé. Au cas où ces preuves sont jugées insuffisantes par le juge, l'affaire est terminée et l'inculpé relâché.

surtout pitié de sa mère, venue me supplier de le reprendre. J'espérais que cette expérience et mes conseils le convaincraient de changer de conduite. Hélas ! de nos jours, la corruption se propage et s'infiltre partout.

— Vous estimez donc qu'il aurait pu s'agir d'une histoire de vengeance ?

— Possible. On court toujours certains dangers à s'associer avec des voyous. Si les amis de Ferrier soupçonnèrent le garçon de vouloir les trahir...

— Personne n'a été témoin du crime ?

— Non. Cela n'a d'ailleurs rien de surprenant. Si ma théorie est exacte, l'auteur du meurtre a tout calculé pour ne courir aucun risque, se préparant même un alibi inattaquable.

— Cependant, il se pourrait qu'un témoin ait vu la scène. Un témoin qui se serait trouvé là par hasard, un enfant...

— Tard dans la soirée et à proximité d'un pub ? Hypothèse improbable, monsieur Poirot.

— Un enfant, persista Poirot, qui en aurait gardé le souvenir gravé dans sa mémoire durant des années. Une fillette regagnant la maison de ses parents après une visite à une camarade et assistant au crime, cachée par une haie.

— Vraiment, monsieur Poirot, quelle imagination ! Ce que vous insinuez relève du roman.

— Pas à mon sens. Les enfants sont témoins de pas mal de choses en se trouvant là où personne ne devine leur présence.

— Mais voyons, en rentrant chez leurs parents, ils racontent ce qu'ils ont vu !

— Pas nécessairement ! Je crois avoir suffisamment d'expérience pour affirmer que les petits ont beaucoup de secrets qu'ils ne confient pas à leurs parents.

— Puis-je vous demander ce qui vous intéresse dans l'affaire Ferrier ?

— Je ne sais presque rien de lui, mais sa mort

remonte à une période assez récente et c'est là un détail qui peut avoir une certaine importance.

D'un ton assez sec, le notaire remarqua :

— Franchement, monsieur Poirot, je ne vois pas très bien pourquoi vous êtes venu me trouver, et à quoi vous vous intéressez. Il n'est pas possible que vous établissiez une liaison entre le meurtre de Joyce Reynolds et celui de Lesley Ferrier ?

— Dans mon métier, on doit tout suspecter et chercher à réunir le plus de détails possible.

— Excusez-moi, mais lorqu'il y a crime, il faut produire des preuves.

— Vous avez peut-être entendu dire que Joyce avait déclaré, devant témoins, avoir vu un crime se perpétrer ?

— Dans une population comme la nôtre, il est impossible de ne pas être au courant de ce qu'il se dit ou se fait. Et j'oserais ajouter que les rumeurs qui circulent sont souvent erronées et par conséquent dénuées de toute valeur.

— Vous avez probablement raison. Mais Joyce qui avait treize ans, aurait pu, vers l'âge de neuf ans, être témoin d'un accident de voiture, d'une altercation, d'une bataille au couteau ou d'une querelle entre amoureux — événement qui se serait ancré dans sa mémoire, l'aurait impressionnée au point de la faire hésiter à se confier à ses parents, craignant aussi d'avoir mal interprété une scène se déroulant rapidement sous ses yeux. Elle aurait même pu oublier l'incident avec les années, jusqu'au jour où une remarque, un concours de circonstances, le lui auraient remis en mémoire.

— C'est, toutefois une supposition tirée par les cheveux !

— Il y a eu aussi dans la région, l'histoire d'une jeune étrangère qui a disparu. Une certaine Olga ou Sonia...

— Olga Seminoff.

— Elle occupait l'emploi de dame de compagnie ou de jeune fille « au pair » chez Mrs. Llewellyn-Smythe. Je ne me trompe pas ?

— Non. Mrs. Llewellyn-Smythe eut d'ailleurs et successivement plusieurs de ces jeunes filles à son service. Olga, sa dernière trouvaille, semblait beaucoup la satisfaire. C'était, si je m'en souviens, une jeune personne peu avantagée par la nature, lourde, assez gauche et ne sympathisant pas avec le reste de la communauté qui le lui rendait bien, d'ailleurs.

— Mrs. Llewellyn-Smythe en était-elle contente ?

— Elle s'attacha beaucoup à elle, fort imprudemment, si nous devons en juger par la suite.

— Vraiment ?

— Je ne doute pas que vous soyez déjà au courant de ce qu'il se produisit à la mort de Mrs. Llewellyn-Smythe. Ce genre de scandale se propage avec la rapidité de l'éclair.

— Je crois que la vieille dame légua une somme considérable à la jeune fille.

— Une décision qui ne laissa pas de m'étonner. Durant des années, Mrs Llewellyn-Smythe n'avait jamais modifié les clauses de son testament, sauf lorsqu'il s'agissait de transférer certaines sommes d'une œuvre de charité à une autre ou d'effacer le nom d'un serviteur décédé auquel elle réservait une pension viagère. Le gros de sa fortune devait revenir à son neveu, Hugo Drake et à sa femme, celle-ci étant une cousine éloignée de la testatrice. Si l'un des bénéficiaires venait à mourir, la fortune passait automatiquement au survivant. Ce n'est que trois semaines avant sa mort que Mrs. Llewellyn-Smythe bouleversa complètement les clauses de ses testaments successifs, en rédigeant un codicille, hors des locaux de notre firme. Selon ce codicille, elle laissait quelque argent à une ou deux œuvres de charité — pas autant que par le passé — rien aux domestiques, ni aux Drake, tous écartés au profit d'Olga Séminoff, devenue sa légataire universelle.

« En témoignage de ses services dévoués et de l'affection dont elle m'a entourée », soulignait-elle. J'avoue que c'était là une décision surprenante, ne correspondant absolument pas aux dispositions passées de la défunte.

— Ensuite ?

— Les experts déclarèrent que le codicille n'avait pas été écrit de la main de notre cliente et nous avons appris que Mrs. Llewellyn-Smythe avaient souvent eu recours à sa demoiselle de compagnie pour copier son courrier et même signer sa correspondance à sa place. La jeune fille qui eut l'occasion de perfectionner son coup de plume, imagina sans doute de berner tout le monde et de s'approprier la fortune de son employeuse. Il est difficile de tromper les experts.

— Et les procédures tendant à prouver la non validité du codicille devaient commencer...

— Obligatoirement. Toutefois, durant le délai nécessaire, précédant l'ouverture du procès, la jeune fille perdit la tête et... disparut.

XIII

Lorsque Hercule Poirot se fut retiré, Jeremy Fullerton reprit place derrière sa table de travail et pianota distraitement sur le buvard posé devant lui.

Il ouvrit un dossier et parcourut une page des yeux, sans pouvoir concentrer son attention sur ce qu'il lisait. Une série d'événements anciens repassait dans son esprit. Deux ans... presque deux ans de cela... et ce matin, cet étrange petit homme avec ses souliers vernis et sa grosse moustache lui avait tout remis en mémoire par ses questions.

Une conversation qu'il avait eue deux ans plus tôt.

Il revit, assise dans le fauteuil lui faisant face, une jeune fille vulgaire, au teint olivâtre, à la bouche large et sensuelle, aux pommettes saillantes et aux yeux hardis qui soutenaient sans crainte le regard inquisiteur qu'il avait posé sur elle. Un visage passionné, expressif, un visage marqué par de longues souffrances. Où était-elle maintenant, Olga Seminoff ? D'une façon ou d'une autre, elle avait dû réussir, mais réussir quoi, au juste ? Et qui avait pu l'aider ?

Sans doute, avait-elle regagné le coin d'Europe Centrale d'où elle était venue ?

Jeremy Fullerton se voulait un défenseur de la loi. Il croyait en elle et méprisait beaucoup les magistrats actuels pour leurs jugements indulgents. Cependant, il pouvait éprouver de la compassion pour certains individus. Il en avait ressenti à l'égard d'Olga Seminoff qui disait :

— Je viens à vous pour que vous m'aidiez. L'année dernière, vous avez été très bon pour moi, me conseillant en vue de remplir les papiers qui devaient me permettre de rester une année de plus en Angleterre. Cette fois, j'ai reçu des lettres disant : « Vous n'avez pas besoin de répondre aux questions que l'on vous pose de toute part. Si vous le désirez, faites-vous représenter par un notaire. » Alors, je suis venue à vous...

— Les circonstances dont vous parlez, et Fullerton se souvenait de la sécheresse de son ton lorsqu'il avait parlé, une sécheresse qui voulait dissimuler la gêne éprouvée à décevoir la jeune fille, n'ont rien à voir avec votre affaire actuelle. Aujourd'hui, je représente la partie plaignante, les Drake, ce qui m'interdit d'intervenir en votre faveur. Comme vous le savez, j'étais déjà le notaire de Mrs. Llewellyn-Smythe.

— Mais elle est morte ! Elle n'a plus besoin de notaire !

— Elle vous était attachée.

— Oui, elle m'était attachée, je vous l'ai dit et répété ! C'est pour cette raison qu''elle voulait me donner l'argent.

— Toute sa fortune ?

— Pourquoi pas ? Elle n'aimait pas sa famille.

— Vous vous trompez. Elle aimait beaucoup son neveu et sa cousine.

— Admettons qu'elle ait eu un penchant pour Mr. Drake mais pas envers sa femme qu'elle jugeait ennuyeuse. Mrs. Drake essayait sans cesse de se mêler des affaires de Mrs. Llewellyn-Smythe et s'immiscer dans sa vie privée. Elle l'empêchait, par exemple, de manger ce qui lui plaisait.

— Mrs. Drake était remplie de bonnes intentions, j'en suis sûr. Elle tentait probablement d'obliger sa parente à suivre les conseils du médecin.

— Les gens détestent souvent obéir aux conseils de leur médecin et ne supportent pas que leur famille essaie de les y contraindre. Ils veulent vivre à leur guise et agir comme il leur plaît. Avec l'argent que possédait Mrs. Llewellyn-Smythe, elle pouvait avoir tout ce qu'elle désirait. Elle était riche, riche, *riche!* et avait le droit d'employer ses revenus selon son humeur. Les Drake sont déjà assez fortunés. Ils ont une belle maison, des vêtements coûteux, deux voitures. Ils vivent dans l'aisance, alors pourquoi veulent-ils encore plus ?

— Ils sont ses seuls parents.

— Elle voulait que ce soit *moi* qui aie l'argent! Elle avait pitié de moi, elle savait ce que j'avais enduré. Elle n'ignorait pas que mon père avait été arrêté un jour et qu'il fut emmené sans que nous le revoyions jamais. Bientôt, ce fut le tour de ma mère. Toute ma famille a disparu. Vous ne savez pas ce que c'est que de vivre dans un pays soumis à un régime policier. Vous n'êtes pas de *mon* côté.

— Non, je ne suis pas, je ne peux pas être de votre côté. Je suis désolé pour ce qui vous arrive, mais tout est de votre faute.

— Ce n'est pas vrai! Je n'ai rien fait que je n'aurais pas dû faire! J'étais bonne pour elle. Je lui apportais en cachette toutes sortes de choses dont elle était friande et qu'elle n'était pas supposée devoir manger. Du chocolat, du beurre...

— Ce n'est pas seulement une question de beurre.

— Je m'occupais d'elle, je l'entourais de soins. C'est pour ça qu'elle m'était reconnaissante. Et maintenant, bien qu'elle soit morte en ayant signé ce papier me laissant tout son argent, ces Drake prétendent que je n'aurai rien! Ils disent toutes sortes de choses, que j'avais une mauvaise influence sur la vieille dame ; que c'est moi qui ai écrit le testament, alors que c'est elle qui l'a écrit. *Elle !* Et après, elle m'a demandé de sortir de la pièce et a appelé la femme de ménage et le jardinier. Elle leur a ordonné de signer le papier en ma faveur parce que je devais recevoir tout l'argent. Pourquoi ne pourrais-je pas le toucher à présent ? Pourquoi n'aurais-je pas droit à un peu de chance dans ma vie, de bonheur ? Cela me paraissait tellement merveilleux ! Je pensais à toutes les choses que je pourrais m'offrir.

— J'ai essayé de vous expliquer...

— Ce ne sont que des mensonges ! Vous prétendez que j'ai écrit le papier moi-même, mais ce n'est pas vrai ! C'est elle qui l'a écrit et personne ne peut soutenir le contraire.

— Ça suffit, Miss ! A présent, écoutez-moi. Cessez de crier et écoutez-moi. Est-il vrai qu'au sujet des lettres que vous écriviez sous sa dictée, Mrs. Llewellyn-Smythe vous demandait d'imiter son écriture ? Et cela parce qu'elle nourrissait l'idée vieux-jeu que faire taper des messages destinés à des amis ou relations était vulgaire ?

— Oui. Elle me disait : « Olga, vous allez répondre à ces lettres comme je vous les ai dictées en sténo. Seulement, vous les recopierez à la main en imitant du mieux possible mon écriture. » Elle me demanda d'apprendre à écrire les mots à sa façon. « Du moment que la différence n'est pas trop évidente, cela ira » affirmait-elle. « Ensuite, vous signerez à ma place. Je ne veux pas que les gens sachent que je ne puis plus répondre personnellement à leur courrier. Les rhumatismes de mon poignet me font horriblement souffrir, mais je me refuse à envoyer des lettres tapées à la machine. »

— Vous auriez pu conserver votre propre écriture et ajouter au bas des missives quelque chose comme « copié par la secrétaire » ou simplement y apposer vos initiales.

— Elle ne le voulait pas. Elle insistait pour donner l'impression que c'était elle qui écrivait.

Et cela, avait pensé Mr. Fullerton, était un trait de

caractère correspondant bien à la vieille dame. Elle se rebellait déjà de ne pouvoir continuer à vivre comme elle l'avait toujours fait. Ce qu'Olga racontait était parfaitement vraisemblable et c'est parce que ses paroles paraissaient sincères que le codicille avait tout d'abord été tenu pour authentique. C'est dans son bureau, — Fullerton s'en souvenait — que le doute était né après une réflexion de son jeune associé.

— J'ai du mal à croire que ce soit Louise Llewellyn Smythe qui ait écrit ce document. Je sais qu'elle souffrait d'arthrite, mais comparez cette écriture avec celle d'autres papiers qu'elle a laissés. Il y a quelque chose qui cloche dans ce codicille.

Mr. Fullerton était tombé d'accord et tous deux avaient décidé de recourir à l'opinion d'experts. Leur réponse fut catégorique : l'écriture du codicille était différente de celle des autres papiers, et donc de celle de la défunte. Si seulement Olga ne s'était pas montrée si âpre, si seulement elle s'était contentée d'une somme coquette, les parents de la défunte auraient accepté de la dédommager, en grinçant des dents peut-être, mais sans poser trop de questions. Mr. Fullerton éprouvait de la pitié pour Olga Seminoff, beaucoup de pitié. Elle avait vécu dans la souffrance depuis son enfance, connu les rigueurs d'un régime dictatorial, elle avait été orpheline, sans frère ni sœur, une victime de l'injustice et de la peur. Cela avait contribué à développer en elle une puérile convoitise.

— Tout le monde est contre moi — avait ajouté Olga. Tous, vous êtes contre moi. Vous ne vous montrez pas justes envers moi parce que je suis étrangère, parce que je ne suis pas de ce pays, parce que je ne sais pas ce que je dois dire et qui appeler au secours ?

— A mon avis, le mieux serait que vous déchargiez votre conscience.

— Alors, je mentirais ! C'est elle et non moi qui a écrit le testament. Elle l'a écrit et m'a demandé de quitter la pièce pendant que les autres signaient.

— Vous n'ignorez pas que des témoignages vont à l'encontre de vos affirmations. Des gens rapporteront que souvent, Mrs. Llewellyn-Smythe ne se rendait pas compte de ce qu'elle signait. Ma chère enfant, ce qui joue en votre faveur, c'est que vous êtes étrangère, que vous comprenez l'anglais de façon très rudimentaire. En tenant compte de tout cela, il y a de grandes chances pour que vous vous en sortiez avec une condamnation légère.

— Il vaudrait mieux que je me sauve et que je me cache pour qu'on ne me trouve pas.

— Je suis désolé pour vous et si vous voulez, je vous recommanderai un bon avocat de mes amis qui fera son possible pour vous aider dans votre procès. Vous ne pouvez songer à disparaître, c'est raisonner comme une enfant !

— J'ai mis suffisamment d'argent de côté. Et elle avait ajouté : Vous avez essayé d'être bon, je le crois, mais vous refusez de venir à mon secours parce qu'il y a la loi. La loi ! Mais, j'irai là où personne ne pourra jamais me trouver !

Personne, pensait à présent Mr. Fullerton, personne ne l'avait trouvée. Il se demandait où elle était à l'heure actuelle.

XIV

1

Hercule Poirot fut reçu aux « Pommiers », conduit dans le petit salon et abandonné après avoir été assuré que Mrs. Drake allait venir.

Poirot s'approcha de la fenêtre du salon et contempla les pelouses du jardin entretenues avec soin. Quelques marguerites de la Saint-Michel fleurissaient au long des bordures. Les chrysanthèmes ne donnaient pas encore signe de vie. Une ou deux roses attardées s'épanouissaient au soleil automnal. Poirot se demanda si Mrs. Drake aurait jamais pu se plier aux directives de Michaël Gaefield. Ce qu'il avait sous les yeux était fortement imprégné de l'atmosphère conventionnelle qu'on retrouve dans tous les jardins de banlieue.

Dans son dos, une porte s'ouvrit et la voix de son hôtesse fit se retourner Poirot.

— Excusez-moi de vous avoir obligé à attendre, monsieur Poirot. Nous sommes en train d'organiser les fêtes de Noël de la paroisse dont les différentes parties sont décidées longtemps à l'avance, trop longtemps à mon

113

goût, car ces dames ont tout loisir de changer d'avis plusieurs fois.

Son ton irrité laissait supposer que les propositions soumises par son comité, devaient être rejetées d'emblée comme absurdes. Poirot imaginait assez bien — d'après certaines remarques de Mrs. McKay et d'autres dames du coin — que Rowena Drake possédait une forte personnalité à laquelle ses concitoyens recouraient quand il y avait des décisions à prendre, sans, pour autant, nourrir la moindre sympathie à son égard. Il n'y avait aucun mal à deviner les sentiments que cette jeune femme avait dû inspirer à la vieille Mrs. Llewellyn-Smythe, elle-même indépendante et autoritaire.

— Elles viennent de partir, remarqua Mrs. Drake, en écoutant la porte du hall se refermer sur un bourdonnement de voix. A présent, monsieur Poirot, dites-moi ce que je puis pour vous. Devez-vous encore me reparler de cette affreuse soirée ? Je souhaiterais tellement ne l'avoir jamais organisée ! Mrs. Oliver est-elle encore chez Judith Butler ?

— Oui. Je crois qu'elle regagnera Londres demain ou après-demain. Vous ne la connaissiez pas, avant sa visite chez Mrs. Butler ?

— Non, mais j'adore ses livres. De plus, je la trouve très spirituelle. A-t-elle quelque idée sur... enfin, sur celui qui a pu commettre un crime aussi horrible ?

— Je ne le pense pas. Et vous, madame, avez-vous quelque soupçon ?

— Aucun. Je vous l'ai d'ailleurs dit.

— Je sais, néanmoins vous auriez pu, depuis, avoir découvert un indice, aussi insignifiant soit-il.

— Qu'est-ce qui vous porte à le croire ?

— J'espérais qu'en y réfléchissant, vous vous seriez souvenu d'un geste, d'une attitude qui, sur le moment, vous aurait semblé sans importance, mais qui, après réflexion, vous aurait intriguée.

— Vous avez une idée en tête, monsieur Poirot, n'est-ce pas ?

— Eh bien ! oui, je l'avoue. Je vous pose ces questions à la suite d'une remarque de Miss Whittaker.

— Le professeur de mathématiques ? Elle était en effet, présente à la soirée. A-t-elle vu quelque chose d'insolite ?

— La question n'est pas tellement de savoir ce qu'elle a vu, mais plutôt ce que vous, vous auriez pu voir.

— Vraiment ?

— Cela a un rapport avec un vase de fleurs.

— Un vase... ? Ah mais oui, je me souviens, maintenant ! Il se trouvait à l'angle du palier donnant sur la salle de bain. Un très joli vase qui m'avait été offert en cadeau de mariage. Je me suis rendue compte, en passant dans le hall — quand exactement je ne pourrais le préciser — que les fleurs qu'il contenait, semblaient se faner et constaté qu'on avait oublié d'emplir le vase d'eau, ce qui me mit en colère. J'ai donc porté le récipient dans la salle de bain adjacente et me suis chargée de cette tâche. Mais qu'aurais-je donc pu voir dans la salle de bain ? Elle était vide.

— Ce n'est pas à cela que je faisais allusion. Un peu plus tard, n'avez-vous pas eu un petit accident avec votre vase ?

— Il m'a glissé des mains et s'est brisé en mille morceaux au pied des escaliers. Elisabeth Wittaker qui se trouvait dans le hall à ce moment-là est venue m'aider à pousser les éclats de verre sous la pendule. Est-ce là l'incident dont vous parliez ?

— Je crois que Miss Whittaker s'est interrogée sur ce qui avait pu vous pousser à lâcher le vase.

— A la vérité, le vase m'est tombé des mains dans un moment d'inattention, sans doute dû à la fatigue. Je me sentais assez lasse après ces heures de préparation et de surveillance des enfants.

— Vous êtes donc certaine que rien ne vous a troublée ? Quelque chose d'imprévu, que vous auriez surpris ?

— Mais, où cela ? Dans l'entrée ? En bas ? Il n'y avait

personne ! Les invités se tenaient dans la salle à manger où se déroulait le *Snapdragon*.

— Vous n'avez pas aperçu quelqu'un ouvrant la porte de la bibliothèque de l'intérieur ?

Elle réfléchit un long moment avant d'affirmer lentement :

— Je n'ai vu âme qui vive, monsieur Poirot.

La façon dont elle s'exprimait incitait le détective à douter de sa sincérité. Il n'était pas impossible qu'elle ait aperçu un visage, ne serait-ce que l'espace d'un instant. Pourquoi assurait-elle le contraire, avec tant de fermeté ? Fallait-il supposer qu'ayant vu un de ses hôtes, elle se refusait à l'associer au drame qui venait de se jouer un instant plus tôt ? Quelqu'un pour lequel elle éprouvait un attachement particulier ou plus simplement qu'elle souhaitait protéger ?

Poirot jugeait Mrs. Drake autoritaire et même dure, mais il la croyait honnête. Il se figurait que, comme beaucoup d'autres femmes de son genre, Mrs. Drake proclamait la nécessité de chercher des «circonstances atténuantes» aux jeunes délinquants de ce temps.

S'éclaircissant la voix, Poirot conclut :

— C'est bien...

— Est-il possible que Miss Whittaker ait remarqué un étranger entrant dans la bibliothèque ?

Cette hypothèse intéressa fort Poirot :

— Vous pensez que cela aurait pu se produire ?

— Pourquoi pas ? Et lorsque je laissai tomber mon vase, elle se sera persuadée que je l'avais remarqué moi aussi. Elle hésite peut-être à incriminer une personne en particulier parce qu'elle ne l'aura pas regardée avec attention ? Les adolescents se ressemblent tous un peu, vus de dos.

— Estimez-vous que la manière dont fut perpétré le crime ait pu avoir été conçue par un adolescent ?

Mrs Drake réfléchit, puis :

— Je n'ai pas eu l'occasion de m'interroger à ce sujet, mais c'est en effet concevable. Je suppose que lorsqu'une enfant est noyée au cours d'une soirée sans raison apparente, le meurtrier est nécessairement un individu pas encore assez mûr pour être complètement responsable de ses actes. Ne le pensez-vous pas ?

— Il semblerait, à ce qu'on m'a dit, que la police raisonne de même, ou plutôt raisonnait ainsi au départ.

— Je me fie entièrement à son jugement. Nous avons des policiers fort capables. Je ne doute pas qu'ils réussiront cette fois encore. Cependant, ils devront, sans doute, chercher longtemps des preuves avant de pouvoir boucler leur enquête.

— Les preuves ne sont pas faciles à trouver.

— Vous avez sans doute raison, monsieur Poirot. C'est un peu comme l'accident dont fut victime mon mari. Il marchait en s'aidant de béquilles et fut renversé par une voiture, un soir, alors qu'il tentait de traverser la route principale. On n'a jamais démasqué les coupables.

— Ce malheur est arrivé après le décès de votre tante ?

— Non, notre tante est morte quelques mois plus tard. Les malheurs semblent se suivre, n'est-ce-pas ?

— Hélas ! La police n'a pas retrouvé la voiture, cause de l'accident ?

— On sait que c'était une Grasshopper Mark 7, volée à Mendchester et qui appartenait à Mr. Waterhouse, un grainetier plus très jeune qui conduisait toujours avec beaucoup de prudence. Il semblerait que les voleurs aient été deux jeunes gens qu'on n'a pu identifier.

— En tout cas, des criminels. Pour Joyce, c'est différent. Une main lui a résolument maintenu la tête sous l'eau jusqu'à ce que mort s'ensuive.

— Je sais. Je sais. C'est atroce et je n'aime pas y penser, ni qu'on me le rappelle.

Elle se leva et marcha nerveusement dans la pièce.

Poirot enchaîna :

— Il nous reste à chercher le mobile du crime.

— A mon avis, une abomination de cette sorte a été commise sans mobile.

— Par un attardé mental qui aurait pris plaisir à tuer ?

— Nous avons eu beaucoup de cas semblables, non ?

— Vous refusez de considérer une explication plus simple ?

— C'est-à-dire ?

— Que notre meurtrier n'était pas un attardé mental, mais tout simplement un individu poussé par le besoin de se mettre à l'abri.

— A l'abri de quoi ?

— Je faisais allusion aux déclarations de Joyce dans le courant de l'après-midi précédant sa mort.

— Joyce était une petite fille stupide et pas très franche.

— C'est ce que me répètent tous ceux que j'interroge.

Poirot se leva.

— Je dois vous présenter mes excuses, madame. Je vous ai rappelé des souvenirs pénibles en abordant un sujet qui, en somme, ne me regarde pas. Pour en revenir à Miss Whittaker...

— Pourquoi ne cherchez-vous pas à en savoir davantage par elle ? Elle est professeur. Elle doit connaître mieux que quiconque l'esprit de ses élèves. — Elle ajouta après réflexion : Miss Emlyn aussi, d'ailleurs.

— La directrice ?

— Elle est au courant de beaucoup de choses. C'est un fin psychologue. A mon avis, si quelqu'un peut vous fournir des indices, c'est bien Miss Emlyn.

— Voilà qui est intéressant...

— Cependant, je doute qu'elle vous confie le fond de sa pensée.

— Je commence à admettre qu'il me reste encore pas mal de chemin à parcourir. A propos, votre tante, Mrs. Llewellyn-Smythe, avait une jeune fille « au pair », une étrangère, je crois ?

— Décidément, monsieur Poirot, vous avez recueilli

tous les ragots du village ! C'est exact. Elle est partie peu de temps après la mort de ma tante, assez brusquement en vérité.

— Elle avait de bonnes raisons pour agir de la sorte à ce qu'on m'a dit.

— En effet, il a été prouvé qu'elle falsifia le codicille du testament de ma tante, peut-être avec l'aide d'un complice.

— Qui ?

— Un jeune homme qui travaille chez un notaire de Medchester et en compagnie duquel elle sortait souvent. Il avait d'ailleurs déjà trempé dans une histoire de faux documents. L'affaire du codicille n'est jamais passée devant les tribunaux parce que la jeune étrangère a subitement disparu et personne n'a plus entendu parler d'elle.

— Je vous remercie infiniment pour tous les renseignements que vous venez de me fournir, madame.

2

En quittant la maison des « Pommiers », Poirot entreprit une courte promenade le long d'une route parallèle à l'artère principale du village et portant le nom de « Route du Cimetière d'Helpsly ». Il ne mit pas plus de dix minutes à parvenir au cimetière en question et constata bientôt qu'il n'était en service que depuis une dizaine d'années. L'église, assez importante, datait du XVIIIe siècle et veillait sur un enclos parsemé de vieilles pierres tombales. Un chemin large et régulier reliait cet ancien cimetière au nouveau. Poirot l'emprunta et regarda les monuments modernes, taillés dans le marbre ou le granit. Il s'immobilisa devant une sépulture récente et qui portait une inscription très simple : « Consacré à la mémoire du Hugo Edmund Drake, époux bien-aimé de Rowena Arabelle Drake, qui quitta ce monde le 20 mars 19... »

Une urne d'albâtre fixée dans le sol contenait des fleurs fanées. Un vieux jardinier qui veillait à l'entretien des tombes s'approcha de Poirot en abandonnant sarcloir et balai, ravi à la perspective de s'offrir quelques minutes de conversation.

— Vous devez être étranger à la région, si je ne me trompe, monsieur ?

— Parfaitement.

Le vieux regarda la tombe devant laquelle se tenait le détective.

— Un gentleman bien aimable, ce Mr. Drake. Un infirme. Il était atteint de paralysie infantile, comme on l'appelle, bien que ce ne soit pas toujours les enfants qui en souffrent.

— Il est mort dans un accident, je crois ?

— Il traversait la route à la tombée de la nuit. Une voiture est arrivée avec deux voyous à bord, le visage mangé par une barbe, à ce qu'il paraît. Ils ne se sont même pas arrêtés. Ils ont abandonné la voiture dans un parking à plus de vingt miles d'ici. Sa femme lui était très attachée et elle a eu beaucoup de peine. Elle vient presque chaque semaine déposer des fleurs sur la tombe. Si vous voulez mon opinion, Mrs. Drake ne restera pas longtemps par chez nous.

— Pourtant, elle a une jolie maison ?

— Pour ça, oui. Cependant, je ne serais pas étonné qu'elle s'en aille.

— Pourquoi, à votre avis, s'éloignerait-elle de Woodleigh Common ?

Un sourire futé se dessina sur le visage du vieil homme.

— Peut-être qu'il n'y a plus rien à faire ici, pour elle. Elle a accompli ici tout ce qu'elle pouvait accomplir et même plus, de l'avis de beaucoup.

— Elle aurait donc besoin d'un nouveau champ à labourer ?

— Vous l'avez dit! Elle doit souhaiter aller s'installer ailleurs pour mener d'autres gens par le bout du nez. Ici, nous sommes où elle voulait qu'on aille et maintenant, tout est en ordre.

— Mais, où irait-elle?

— Ça, je l'ignore. Probablement dans un de ces pays de Riviera, ou de la côte espagnole, à moins que ce ne soit la Grèce. Je l'ai entendue plusieurs fois faire allusion aux îles grecques. Mrs. Butler y est allée, il n'y a pas longtemps en voyage organisé, à ce qu'il paraît.

— Les îles grecques, murmura Poirot. La trouvez-vous sympathique?

— Qui? Mrs. Drake? Ma foi, je n'irai pas jusqu'à l'affirmer. C'est une bonne personne, serviable envers son voisin et tout le reste... mais, si vous voulez mon avis, les gens n'aiment pas tellement ceux qui leur rendent service. Elle ne manque jamais de me conseiller sur la façon dont je dois m'y prendre pour greffer mes pruniers. Comme si je ne le savais pas, depuis le temps!

Poirot sourit.

— Excusez-moi, je dois poursuivre ma route. Pouvez-vous m'indiquer où habitent Nicholas Ransom et Desmond Holland?

— Après l'église, la troisième maison sur la gauche. Ils logent chez Mrs. Brand et se rendent chaque jour au collège technique de Medchester. Ils doivent être rentrés à l'heure qu'il est.

XV

Deux paires d'yeux fixaient Poirot.

— Je ne vois pas ce que nous pourrions vous apprendre de plus, monsieur. La police nous a déjà interrogés.

Poirot observa pensivement les deux jeunes gens assis en face de lui. Leur maintien disait assez qu'ils ne se considéraient plus comme des adolescents. Nicholas avait dix-huit ans et Desmond seize.

— Je suis envoyé par un ami qui m'a demandé de glaner quelques renseignements supplémentaires, non pas sur la manière dont s'est déroulée la soirée chez Mrs. Drake, mais plus particulièrement sur les préparatifs de cette soirée dans le courant de l'après-midi, je crois. Vous y étiez, tous deux ?

— Parfaitement, monsieur.

— J'ai déjà interrogé les femmes de ménage et j'ai eu le privilège d'assister aux délibérations de la police touchant la progression de l'enquête ; j'ai entendu le compte rendu du médecin qui examina la victime ; j'ai reçu les confidences d'une maîtresse d'école, de sa directrice et celles de la mère de la petite victime, enfin, j'ai écouté quelques ragots de village... à ce propos, il paraîtrait que vous avez une sorcière locale ?

Les deux garçons éclatèrent de rire.

— Vous voulez parler de la mère Goodbody ? Elle est en effet venue à la soirée, tenir le rôle de sorcière.

Poirot poursuivit :

— Je m'adresse à présent à la jeune génération, celle dont l'ouïe est fine, la vue perçante. Je désire vivement connaître vos impressions sur le drame.

Les deux jeunes gens avaient grimpé aux échelles, suspendu des potirons, installé le système électrique le long duquel allaient courir des ampoules de couleur, l'un s'était appliqué à reproduire des photographies pour créer l'illusion qui enfièvrerait l'imagination des fillettes rêvant déjà au Prince Charmant. Ils étaient aussi, soit dit en passant, les deux suspects que l'inspecteur Raglan ne perdait pas de vue.

Poirot concentra son attention sur la mise extérieure des deux garçons. Nicholas qui était beau garçon, se laissait pousser des favoris et gardait ses cheveux un peu trop longs dans le cou. La façon dont il portait son costume noir, plutôt triste, laissait entendre que c'était là sa manière habituelle de se vêtir et non une marque de respect pour le deuil ayant frappé la famille Reynolds. Son camarade affichait une mise plus gaie, un veston de velours rose sur des pantalons mauves et une chemise à jabot tout plissé. Tous deux devaient dépenser beaucoup d'argent pour acheter ces vêtements qui ne venaient sûrement pas d'un magasin local.

Desmonds était roux et sa chevelure crêpée emprisonnait son visage aux traits irréguliers.

— Pouvez-vous me confier quelles tâches vous étaient dévolues lorsque vous avez offert votre aide à Mrs. Drake ?

— Nous devions surtout nous occuper des éclairages, et suspendre des potirons.

— Je crois savoir que vous avez réussi des trucs photographiques qui eurent beaucoup de succès.

Desmonds fouilla dans sa poche et tira d'une enve- loope quelques portraits qu'il montra à Poirot.

— Nous avons créé ces modèles qui devaient évoquer des maris plausibles pour les filles.

Poirot se pencha avec intérêt sur les clichés volontairement estompés, représentant des jeunes gens barbus, chevelus, excentriques ou cocasses.

— En brouillant les photos, nous leur avons donné un côté irréel. Mrs. Drake les a trouvées très bonnes. Elles l'ont d'ailleurs amusée. Nous avions placé les éclairages de manière que les filles voient les photos se refléter dans leur miroir.

— Ont-elles deviné que votre camarade et vous étiez les modèles ?

— Cela m'étonnerait. Elles savaient que nous avions travaillé à la préparation du jeu, mais elles ne nous ont pas reconnus. A mon avis, elles n'étaient pas assez malignes pour découvrir la supercherie.

— Vous souvenez-vous de ceux qui étaient venus, comme vous, aider à poser des décorations ?

— Voyons, à part Mrs. Drake, il y avait Mrs. Butler, une maîtresse d'école, Miss Whittaker, Miss Flaterbut, la sœur ou la femme de l'organiste, l'assistante du docteur Ferguson, Miss Lee, et les filles.

— Parlez-moi un peu de ces dernières.

— Eh bien, il y avait les sœurs Reynolds, la pauvre Joyce et son aînée Ann, une fille horripilante qui est persuadée qu'elle va réussir à tous ses examens avec un succès foudroyant. Il y avait aussi leur jeune frère Léopold, un gamin épouvantable qui moucharde et écoute aux portes. Et puis... Beatrice Ardley et Cathie Grant, bête comme pas une, celle-là. Enfin, deux femmes de ménage et la romancière qui vous a amené.

— Pas d'homme ?

— Le vicaire est resté un moment. Il est vieux et plutôt bouché. Son nouveau curé était là, lui il bégaie quand il est ému. Il est arrivé au village depuis peu. Ma foi, je crois que c'est tout.

— Il paraîtrait que vous avez entendu Joyce parler d'un crime dont elle aurait été témoin ?

— Je ne suis pas au courant. A-t-elle vraiment dit une chose pareille ?

— C'est ce qu'on raconte, affirma l'autre garçon. Personnellement, je ne devais pas me trouver dans la pièce au moment où elle l'a déclaré. Où se tenait-elle ?

— Dans le salon.

— Nicholas et moi avons passé le plus clair de notre temps à étudier des effets d'éclairage dans la pièce où allait se tenir le jeu des miroirs. Nous sommes très peu restés dans le salon. Vous y trouviez-vous lorsque Joyce a parlé de ce crime, Nick ?

— Non. Je le regrette. Ça m'a l'air drôlement intéressant !

— Pourquoi ? questionna Desmond.

— Mais voyons, ça prouverait qu'elle était un peu voyante, non ? Elle évoque un meurtre et quelques heures plus tard, elle est assassinée, à son tour. J'imagine qu'elle a eu une sorte de vison de ce qui allait lui arriver. Une telle expérience vous laisse songeur.

Hercule Poirot reprit la parole :

— Au cours de la soirée, vous n'avez jamais eu le sentiment qu'un événement insolite se passait ?

— Non.

— Auriez-vous une théorie personnelle ?

La question s'adressait à Nicholas qui répondit :

— Quant à l'identité de celui qui a éliminé Joyce ?

— Heu... oui.

— Pour moi, intervint Desmond, je miserais sur Whittaker.

— La maîtresse d'école ?

— C'est une vieille fille, au sens propre du mot. Je parie qu'elle est une obsédée sexuelle. Il faut dire que l'enseignement donné exclusivement par des femmes n'est pas très sain. Vous vous souvenez, Nick, de l'institutrice qui s'est fait étrangler, il y a un ou deux ans ? Il paraîtrait qu'elle avait des mœurs curieuses.

— Cela ne m'étonnerait pas. Nora Ambrose, la fille avec laquelle elle partageait un appartement, avait eu un boy-friend et l'institutrice lui fit à ce sujet des scènes terribles. On chuchota aussi qu'elle aurait eu un enfant, du fait qu'elle disparut durant deux trimestres. Mais il est vrai que dans ce patelin, les gens racontent n'importe quoi.

— Pour en revenir à Whittaker, elle aurait pu entendre ce que disait Joyce car elle est restée dans le salon presque tout le temps. Les déclarations de la gosse lui auront peut-être donné des idées.

Ils se tournèrent tous deux vers Poirot, l'œil brillant, pareils à deux chiens qui auraient rapporté à leur maître le gibier abattu.

— Si c'est le cas, renchérit Desmond, Miss Emly, doit être au courant. Elle sait toujours ce qui se passe dans son école. A moins qu'elle pense devoir protéger son professeur.

— Je suis sûr que si elle soupçonnait Whittaker d'être devenue folle, elle chercherait à l'éloigner des élèves. Qu'en dites-vous ?

Les deux jeunes gens regardèrent Poirot, ravis de leurs déductions.

— Ma foi, avoua le détective, vous m'avez certainement donné sujet à réflexion.

XVI

Poirot dévisagea Mrs. Goodbody avec intérêt et décida qu'elle était un parfait modèle de sorcière. Le fait que la brave femme devait posséder un cœur d'or n'altérait en rien son apparence.

A la question que lui posait le détective, Mrs. Goodbody répondit aimablement:

— Oui, en effet, je me trouvais chez Mrs. Drake pour la fête du Potiron. Lorsque l'on a besoin d'une sorcière dans la région, on s'adresse toujours à moi. Le vicaire m'a bien complimentée l'année dernière pour le rôle que j'ai tenu dans sa fête paroissiale. Il m'a même offert un nouveau chapeau pointu. Au sujet de la soirée de Mrs. Drake, je devais procéder à des incantations pour le jeu des miroirs et mettre les jeunes filles en rapport avec l'esprit — car nous avions aussi un esprit — et les garçons, Mr. Nicholas et Mr. Desmond, envoyaient leurs photos flotter à travers la pièce. Pour en revenir à Mrs. Drake, je lui ai prêté ma boule de sorcière que j'avais achetée à une vente de charité. Vous voyez, elle est accrochée au-dessus de la cheminée. Elle est d'un joli bleu, n'est-ce pas?

— Dites-vous la bonne aventure ?

— Je ne devrais pas l'admettre, hé ? chuchota-t-elle. La police n'aime pas ça. Ce n'est pas qu'ils se formalise-raient du genre de bonne aventure que je prédis, car c'est vraiment sans conséquences. De plus, dans un pays comme celui-ci, on n'a pas besoin de chercher longtemps pour deviner quelle fille fréquente quel garçon et vice-versa.

— Pouvez-vous regarder dans votre boule maintenant et voir qui a tué la petite Joyce ?

— Vous vous trompez, monsieur. Ce n'est pas dans une boule de sorcière que l'on voit des images, mais dans la boule de cristal. Si je vous confiais, qui, à mon avis, a tué la petite Reynolds, vous ne voudriez pas me croire. Vous diriez que c'est contre nature. Notez que, dans l'ensemble, ce pays n'est pas mauvais. Les gens y sont pour la plupart des âmes simples, mais où que vous alliez, vous trouverez toujours des serviteurs du diable, nés et élevés pour servir ses dessins malhonnêtes. Vous n'êtes plus jeune et vous devez savoir ce qu'il y a de perversité par le monde.

— Hélas, je ne le sais que trop. Si Joyce a vraiment vu un crime se perpétrer...

— Qui a prétendu ça ?

— Elle-même.

— Cela ne signifie pas que vous devez la croire. Elle a toujours été une petite menteuse. — Elle fixa sur Poirot un regard inquisiteur. — Vous pensez différemment ?

— Ma foi, non. Trop de gens m'ont donné un avis identique pour que je persiste à mettre en doute leur jugement.

— Il se passe pas mal de choses dans les familles. Prenez les Reynolds, par exemple. Mr. Reynolds s'oc-cupe de la vente de propriétés. Il n'a pas beaucoup d'ambition et ne changera jamais. De son côté, Mrs. Reynolds se fait du souci sur tout. Quant aux enfants, aucun ne ressemble au père ni à la mère. Ann, qui est très intelligente, va sûrement subir ses examens avec succès. Je ne serais pas étonnée qu'elle aille à l'université et devienne un jour, professeur. Notez bien qu'elle ne se prend pas pour n'importe qui. Et puis, il y avait Joyce. Moins intelligente que sa sœur et que son frère, elle s'efforçait de les égaler. Elle voulait toujours en savoir plus que les autres et avoir fait mieux que quiconque. Elle aurait inventé n'importe quoi pour captiver l'attention de son entourage.

— Et le garçon ?

— Ma foi, quoi qu'il n'ait que neuf ou dix ans, je dois admettre qu'il aura de la personnalité. Il est très habile de ses mains et ne manque pas d'idées. Il ira sûrement très loin. Mais ça n'empêche pas qu'il faille se méfier de Léopold. Il joue de mauvais tours aux gens et écoute aux portes. Je voudrais bien savoir d'où il tient son argent de poche. Ce ne sont pas ses parents qui lui en donnent autant, car ils n'en ont sûrement pas les moyens. Cela ne m'étonnerait pas qu'il se fasse payer pour des secrets qu'il aurait surpris.

Elle s'arrêta à bout de souffle, puis conclut :

— Ma foi, je ne pense pas pouvoir vous apprendre grand-chose d'autre.

— Vous m'avez, au contraire, beaucoup aidé. Savez-vous ce qu'il est advenu de la jeune étrangère qui se serait, paraît-il, enfuie ?

— A mon avis, elle n'est pas allée loin. *Ding dong delle, pussy's in the well*(1). C'est ce que j'ai toujours pensé.

---

(1) Ronde enfantine : ding dong dell, le chat est dans le puits.

XVII

— Excusez-moi, madame, pourrais-je vous parler un moment ?

Mrs. Oliver qui guettait l'arrivée de Poirot, postée sous la véranda de son amie, se tourna vers l'inconnue qui se tenait à quelques pas, serrant nerveusement sa paire de gants d'une blancheur immaculée. Elle devait avoir dans les quarante ans et sa mise, quoique simple, était très soignée.

— Que puis-je pour vous ?

— Je suis désolée de devoir vous déranger, mais j'ai pensé que... que...

Mrs. Oliver ne chercha pas à presser l'inconnue bien qu'elle se demandât ce qui la tourmentait.

— Si je ne me trompe, vous êtes la dame qui écrit des livres, des livres qui parlent de meurtres ?

— Parfaitement. Des romans policiers.

La curiosité de Mrs. Oliver était à présent piquée au vif.

— Je m'adresse à vous parce que j'ai pensé que vous êtes la mieux placée pour me conseiller.

Jugeant que cette femme aurait sans doute besoin de

pas mal de temps pour en venir au fait, Mrs. Oliver lui proposa de s'asseoir. Lorsqu'elles furent toutes deux installées devant une petite table, la visiteuse qui ne cessait de tortiller ses gants, reprit :

— C'est au sujet de quelque chose qui s'est passé il y a longtemps, mais qui, à l'époque, ne m'a pas particulièrement inquiétée. Seulement, un jour, voyez-vous, on repense à certains faits et l'on voudrait pouvoir demander conseil à quelqu'un de compétent. Avec ce qui est arrivé récemment, on s'interroge pour savoir si l'on n'aurait pas mieux agi en avouant tout de suite la vérité...

— Vous faites allusion à la petite Joyce ?

— A ce qui lui est arrivé, oui. Sa mort tragique démontre qu'il y a des gens auxquels on ne devrait jamais accorder sa confiance, n'est-ce pas ? Et avec le temps, il vous arrive de comprendre, à force de réfléchir, que certains événements que vous aviez acceptés tout simplement, n'étaient pas ce qu'ils semblaient être alors. Vous me comprenez ?

— Heu... oui. Je ne crois pas connaître votre nom ?

— Leaman. Mrs. Leaman. Je fais des ménages pour rendre service et cela depuis la mort de mon mari qui remonte à cinq ans. J'ai travaillé, entre autres, chez Mrs. Llewellyn-Smythe, l'ancienne propriétaire de Quarry Housse. L'avez-vous connue ?

— Non. C'est la première fois que je viens à Woodleigh Common.

— Dans ce cas, vous ne savez probablement pas ce qu'il s'est passé à l'époque et ce que les gens en ont pensé ?

— J'ai été mise au courant de quelques rumeurs.

— J'ignore tout des lois qui me font toujours peur. Je me méfie des notaires parce qu'ils embrouillent les histoires à plaisir et je n'ose pas m'adresser à la police. Croyez-vous qu'une affaire d'ordre testamentaire concerne la police ?

— Peut-être, bien que je ne sache pas encore de quoi il est question.

— Vous êtes probablement au courant de ce qu'il fut dit à l'époque à propos d'un codi... codi...

— Codicille ?

— C'est cela. Mrs. Llewellyń-Smythe avait écrit un de ces codi...cilles, laissant sa fortune à l'étrangère qui s'occupait d'elle. Cette décision surprit tout le monde. Elle avait de la famille dont elle s'était rapprochée en venant habiter le village. Elle aimait particulièrement son neveu, Mr. Drake, et qu'elle ait décidé de le depouiller au profit d'une inconnue étonna la communauté. Les notaires commencèrent à ébruiter certaines rumeurs, alléguant que Mrs. Llewellyn-Smythe n'avait pas écrit ce codicille elle-même. Ils affirmèrent que c'était l'étrangère qui avait dû l'écrire et menacèrent de poursuivre l'affaire du codicille. C'est bien l'expression utilisée ?

— Oui. Les notaires allaient donc essayer d'annuler la validité du codicille ? Que savez-vous à ce sujet ?

— Je ne voulais pas mal agir, lança son interlocutrice d'un ton plaintif.

Mrs. Oliver reconnaissait ce ton. Elle se dit aussitôt que Mrs. Leaman devait écouter aux portes.

— Je n'ai rien répété alors, reprenait la femme de ménage, parce que, vous comprenez, sur le moment, je ne savais rien de précis. J'ai simplement pensé que quelque chose de bizarre s'était sans doute passé sans que j'en devine la signification. J'ai travaillé assez longtemps chez Mrs. Llewellyn-Smythe et je voulais apprendre de quoi il était question. C'est normal, non ?

— Certainement, l'encouragea Mrs. Oliver qui était complètement perdue.

— Si j'avais pensé avoir mal agi, je l'aurais avoué plus tard, mais lorsque toute cette histoire a commencé, je croyais que le mieux était que je tienne ma langue.

— Faites-vous allusion au codicille du testament de Mrs. Llewellyn-Smythe ?

— Oui, je vais vous expliquer. Un jour que Mrs. Llewellyn-Smythe ne se sentait pas dans son assiette, elle nous a priés de la rejoindre dans son bureau, moi et le jeune Jim, le garçon qui aidait dans le jardin et rentrait le bois. Nous sommes donc entrés dans le boudoir et avons trouvé la patronne assise devant son secrétaire couvert de papiers. Elle s'est tournée vers l'étrangère — Miss Olga, comme nous l'appelions — et lui a dit à peu près ces mots : « Maintenant, sortez, mon petit, parce que vous ne devez pas être présente lors de cette phase de notre affaire. » Miss Olga est donc partie, après quoi Mrs. Llewellyn-Smythe nous a demandé d'approcher : « Ceci est mon testament » nous déclara-t-elle, en désignant une feuille de papier dont elle avait caché l'en-tête avec un buvard. « Je vais écrire quelques lignes sous vos yeux et je désire qu'ensuite vous apposiez vos signatures pour prouver que j'ai écrit et signé le document. » Et elle commença à écrire en se servant d'une plume que l'on trempe dans l'encrier, car elle n'aurait jamais consenti à user d'un stylo. Au bout de deux ou trois lignes, elle a signé, après quoi elle me dit : « Maintenant, Mrs. Leaman, vous allez inscrire ici votre nom et votre adresse. » J'obéis puis ce fut le tour de Jim. Satisfaite, Mrs. Llewellyn-Smythe nous annonça : « Vous m'avez vue écrire et signer, j'ai vos signatures, donc tout est en ordre. C'est tout, merci beaucoup. » Au moment où nous sortions, j'ai remarqué quelque chose qui m'a, sur le moment, intriguée. Comme je tirais sur moi la porte qui fermait mal, j'ai jeté un coup d'œil dans la pièce, mais sans vraiment regarder. Vous comprenez ?

— Je comprends.

— Une sorte de mouvement inconscient. Mrs. Llewellyn-Smythe venait de se lever de son siège. Marchant avec difficulté, elle alla au rayonnage à livres, en tira un ouvrage, y plaça le papier qu'elle avait glissé dans une enveloppe sous nos yeux et le remit en place sur l'étagère inférieure où elle l'avait pris. Je notai aussi que la reliure était très grande. Je suis sortie et, une fois dehors, j'oubliai l'incident. Il m'était complètement sorti de l'esprit... mais lorsque, après la mort de notre patronne, les notaires suggérèrent que le codicille avait été truqué, j'eus le sentiment... enfin, je...

Comme elle se taisait, embarrassée, Mrs. Oliver insinua :

— Vous voulez dire que vous n'avez jamais cherché à savoir...

— Eh bien, si, je l'avoue franchement, j'étais curieuse de lire ce qu'elle avait écrit sous nos yeux. Après tout c'est naturel de vouloir prendre connaissance de ce que l'on a signé. C'est dans la nature humaine, pas vrai ?

— Oui, c'est dans la nature humaine.

— Alors, le lendemain, alors que Mrs. Llewellyn-Smythe se faisait conduire à Medchester et que je nettoyais son boudoir, j'ai repéré l'ouvrage relié en question, un vieux livre datant, à mon avis, de l'époque de la reine Victoria et dont le titre était : *Enquire Within upon Everything* (1).

— Vous avez donc trouvé le papier et avez pris connaissance de son contenu ?

— Oui, madame. Je l'ai lu. Il s'agissait d'un document légal. Sur la dernière page, je reconnus les quelques lignes inscrites sous nos yeux par Mrs. Llewellyn-Smythe et auxquelles s'ajoutaient nos signatures de la veille. L'écriture en était très lisible, quoique notre maîtresse ait eu l'habitude de former des lettres très pointues.

— Et que disait-elle dans le message ?

— Ma foi, je ne me souviens plus très bien, sinon qu'elle faisait allusion à un codicille devant modifier ses décisions antérieures, car elle léguait toute sa fortune à Olga... Seminoff, je crois, pour la remercier de sa gentillesse et de ses soins attentifs. Suivaient sa signature, la mienne et celle de Jim. Dès que j'ai eu fini de lire, j'ai remis le papier dans son enveloppe et à la même

_____
(1) Encyclopédie de la ménagère.

page du livre que je reposai à sa place sur le rayon. J'étais bien surprise de ce que j'avais appris. Imaginez cette étrangère héritant de toute la fortune de Mrs. Llewellyn-Smythe !

Personnellement, je n'aimais pas beaucoup Miss Olga qui se montrait souvent dure et de mauvaise humeur envers les autres domestiques alors qu'elle était toujours d'une docilité parfaite envers notre patronne. Elle devait veiller à ses intérêts. J'ai tout de même trouvé drôle que la vieille dame ne laisse rien à sa propre famille. Et puis, j'ai vite oublié l'incident jusqu'au jour où tout a été remis en question. Lorsque la vieille dame mourut et que le codicille fut présenté devant notaires, les autorités déclarèrent que le document ne pouvait avoir été écrit par Mrs. Llewellyn-Smythe, que quelqu'un avait imité son écriture et sa signature.

— Qu'avez-vous fait ?

— Rien du tout, et c'est ça qui ne cesse de me tourmenter. Tout d'abord, j'ai pensé que les notaires racontaient ces choses parce que, comme tout le monde, ils n'aimaient pas l'étrangère. Pendant que ces rumeurs couraient dans le pays, Miss Olga jouait à la grande dame. Je me suis dit que tout allait s'arranger, car si Mrs. Drake déclarait que Miss Olga n'était pas de la famille, l'argent retournerait aux héritiers directs, ce qui serait normal, dans le fond. C'est ce qui est arrivé, dans un sens, car l'affaire n'est jamais passée devant les tribunaux. L'argent revint à Mrs. Drake alors que Miss Olga s'enfuyait, probablement vers son pays d'origine, ce qui prouverait qu'elle avait dû manigancer quelque malhonnêteté pour se faire léguer la fortune de Mrs. Llewellyn-Smythe.

— A combien de temps remontent tous ces événements ?

— Voyons... Mrs. Llewellyn-Smythe est morte il y a près de deux ans.

— Et la tournure que prirent les choses ne vous causa aucun tourment ?

— Ma foi, non. A l'époque, vous comprenez, j'étais persuadée que Miss Olga avait sûrement commis un acte répréhensible et comme tout semblait rentrer dans l'ordre, je ne pensais pas que mon témoignage changerait les choses.

— Et qu'est-ce qui vous a poussée à changer d'avis ?

— C'est ce crime affreux qui vient d'avoir lieu. Joyce, a, paraît-il déclaré avoir été témoin d'un meurtre et je me demande si elle n'aurait pas surpris Miss Olga tuant la vieille dame pour hériter plus vite de sa fortune. qu'elle ait disparu après que les notaires et la police, l'aient interrogée indique qu'elle n'avait pas la conscience tranquille.

— Vous avez réellement vu Mrs. Llewellyn-Smythe écrire et signer le document que vous-même et Jim avez aussi signé ?

— Oui, madame.

— Donc, il ne s'agissait pas d'un faux.

— Je vous ai dit la vérité, madame, et si Jim était ici, il confirmerait ce que je raconte, mais c'est impossible. Il a quitté le pays l'année dernière pour s'installer en Australie et je ne connais même pas sa nouvelle adresse.

— Qu'attendez-vous de moi ?

— Je voudrais que vous vous renseigniez pour savoir si je dois aller parler de tout ça aux autorités. Remarquez que personne ne m'a jamais demandé si je savais quoi que ce soit à propos d'un testament.

— Votre nom est Leaman. Et votre prénom ?

— Harriet.

— Harriet Leaman, bon. Et Jim, quel est son nom de famille ?

— Attendez, que je me souvienne... Jim Jenkins. C'est cela, Jim Jenkins. Je vous serais bien reconnaissante si vous pouviez tenter quelque chose, madame, parce que maintenant, cette histoire m'inquiète. Ce drame affreux semblerait impliquer que Miss Olga a tué Mrs. Llewellyn-Smythe et a été surprise par Joyce... Elle jubilait Miss Olga, lorsqu'elle a appris des notaires qu'elle allait hériter d'une grosse fortune. Mais quand la chance a tourné, elle n'a pas attendu longtemps pour filer, allez !

— Il se peut que vous soyez obligée de répéter tout cela devant le notaire qui représentait Mrs. Llewellyn-Smythe.

— Ma foi, je vous fais confiance.

— J'agirai de mon mieux pour qu'on ne vous ennuie pas.

Les yeux de Mrs. Oliver se fixèrent sur une élégante silhouette qui débouchait du sentier en contre-bas.

Mrs. Leaman se leva, enfila ses gants tout froissés et disparut sur quelques mots d'excuse et une courte révérence.

Lorsque Poirot parvint à sa hauteur, Mrs. Oliver questionna :

— Que vous arrive-t-il ? Vous semblez ennuyé ?

— Mes pieds me font horriblement souffrir.

— C'est la faute de vos chaussures vernies. Asseyez-vous et apprenez-moi ce que vous voulez me confier. Ensuite, mon cher, je vous raconterai quelque chose qui vous causera sans doute une assez grande surprise !

XVIII

Poirot s'assit, étira ses jambes et soupira :

— Ah ! cela va mieux...

— Si vous me permettez un conseil vous ne devriez pas porter des chaussures vernies à la campagne. L'ennui avec vous est que vous voulez toujours être *chic*. Vous vous souciez plus de l'apparence de vos vêtements et de vos moustaches que du *confort*. Pour moi, le confort est une invention merveilleuse. Après la cinquantaine, je trouve même que c'est la seule chose qui compte.

— Chère madame, je ne suis pas certain de partager votre opinion.

— Vous avez tort car au fur et à mesure que passeront les années, vous serez appelé à souffrir de plus en plus.

Là-dessus, elle ouvrit une boîte au couvercle coloré, et prit une petite quantité de son contenu qu'elle fit disparaître dans sa bouche. Essuyant ses doigts avec un mouchoir, elle articula d'une voix embarrassée :

— Poisseux !

— Ne mangez-vous plus de pommes ?

— Je vous ai déjà dit que je ne voulais plus voir de pommes.

— Et que mangez-vous en ce moment ? Poirot prit le couvercle sur lequel était peint un palmier. Dattes de Tunis. Tiens, tiens. C'est assez extraordinaire !

— Vous trouvez ? Pourtant, bien des gens en mangent.

— Ce n'est pas ce que je voulais dire. Ce que je juge extraordinaire, c'est que, toujours, vous m'indiquez la direction, comment dirais-je, le chemin que je dois prendre ou que je devrais déjà avoir suivi. Jusqu'ici, je n'ai pas réalisé à quel point les dattes étaient importantes.

— Je ne vois pas quel rapport il y a entre les dattes et ce qui vient d'arriver ?

— Vous avez sans doute raison, mais tout événement présent a un passé. Un passé qui fait encore partie du présent, mais qui existait déjà hier ou le mois, l'année précédente. Il y a un an, ou deux, ou trois, un crime a été commis dont une enfant fut témoin et à cause de cela, elle est morte il y a quatre jours. C'est votre avis, n'est-ce pas ?

— Oui, enfin... c'est tout au moins mon impression. Il est néanmoins possible que nous fassions fausse route, en tenant pour crime prémédité ce qui n'est peut-être que le geste d'un dément.

— Ce n'est pas cette conviction qui vous a poussée à venir me trouver, madame.

— Non, je l'admets. Je n'aimais pas la manière dont se présentait l'affaire. Et vous savez, j'éprouve encore le même sentiment.

— Vous avez mis le doigt sur le point sensible et je partage votre point de vue, quoique vous n'ayez pas l'air très convaincue de ma bonne volonté.

— Je crains, en effet, que vous ne vous borniez à rencontrer celui-ci ou celle-là, à poser des questions et à décréter que ceux que vous côtoyez sont sympathiques ou non ?

— Parfaitement.

— Et qu'avez-vous appris de cette manière ?

— Des détails. Des détails qui, en temps voulu, s'emboîteront dans les dates auxquelles ils correspondent.

— C'est tout ?

— J'ai aussi appris que personne n'a foi dans la véracité des paroles de Joyce Reynolds.

— Lorsqu'elle affirmait avoir vu commettre un crime ? Mais je l'ai personnellement entendue !

— Bien sûr, mais puisque nul ne l'a prise au sérieux, force nous est d'admettre que ce n'était pas vrai, qu'elle n'a jamais été témoin d'un tel drame.

— J'ai l'impression que vos détails au lieu de vous aider à progresser, vous obligent plutôt à rétrograder.

— Mais non, je suis sûr que tout doit se tenir. Prenez cette histoire de falsification, par exemple. Nous avons une étrangère qui aurait capté l'affection d'une vieille dame très riche pour hériter d'une fortune colossale. L'étrangère a-t-elle falsifié le testament et son codicille, ou quelqu'un s'en est-il chargé à sa place ?

— Mais qui ?

— Il y avait un autre faussaire dans le village, enfin quelqu'un qui fut une fois poursuivi en justice pour avoir falsifié des documents et qui s'en est sorti avec une peine légère parce qu'il s'agissait de son premier délit.

— Est-ce que je le connais ?

— Non. Il est mort.

— Oh ! Depuis longtemps ?

— Il y a à peu près deux ans. Voyez-vous, j'ai l'intuition que certains événements apparemment séparés sont liés les uns aux autres.

— C'est une suggestion qui vaut d'être retenue. Je ne comprends cependant pas...

— Moi non plus, pour le moment, mais je suis convaincu que les dates m'éclaireront. Où se trouvaient, dans le même temps, les personnes m'intéressant, ce qu'elles faisaient, ce qui leur est arrivé. Tout le monde pense que l'étrangère a rédigé le codicille et là-dessus tout le monde a sans doute raison. Elle devait être la bénéficiare, n'est-il pas vrai ? Mais, attendez, attendez...

— Attendez, quoi ?

— Retournez-vous bientôt à Londres, madame ou avez-vous décidé de demeurer encore ici ?

— Je rentrerai après-demain. Le travail m'attend et je ne puis m'absenter davantage.

— Dites-moi, dans votre appartement, avez-vous de la place pour loger des invités ?

— En principe, je réponds toujours non. Je déteste devoir changer mes habitudes pour de vagues connaissances. Pour des amis intimes, c'est différent. Ceux dont la compagnie m'est agréable sont toujours les bienvenus chez moi.

— Vous pourriez recevoir deux invités, le cas échéant ?

— Je le pourrais. De qui s'agit-il ?

— Connaissez-vous bien votre amie, Mrs. Butler ?

— Non, pas très bien. Nous avons sympathisé au cours d'une croisière et pris l'habitude de visiter ensemble les lieux que nous devions explorer. Je trouvais que Judith possédait une je-ne-sais-quoi d'attachant, d'original. Vous souhaitez donc que j'invite Judith et Miranda chez moi ?

— Pas encore. Pas avant que je n'obtienne l'assurance qu'une de mes petites idées est bien fondée.

— Vous et vos petites idées ! Maintenant, écoutez-moi. J'ai une nouvelle pour vous.

— Madame, vous m'en voyez ravi.

— N'en soyez pas trop sûr. Cela va probablement bouleverser vos petites idées. Que diriez-vous si je vous apprenais que la falsification dont vous venez de m'entretenir si longuement n'est, tout compte fait, pas une falsification ?

— Comment cela ?

— Mrs. Llewellyn-Smythe a bien rédigé un codicille laissant toute sa fortune à sa fille « au pair », et elle l'a signé devant deux témoins qui apposèrent ensuite leur propre signature au bas du document.

XIX

— Mrs... Leaman, dites-vous ? répéta Poirot en prenant note du nom que venait de lui communiquer
Mrs. Oliver.

— Harriet Leaman. L'autre témoin serait, paraît-il,
un certain Jim Jenkins, qui a, depuis, émigré en Australie. De son côté, Olga Seminoff aurait regagné son pays
d'origine, ce qui semble indiquer que beaucoup de gens
sont partis, dans cette affaire.

— Jusqu'à quel point jugez-vous que nous puissions
considérer sérieusement le témoignage de Mrs. Leaman ?

— Je ne pense pas qu'elle ait inventé quoi que ce soit,
si c'est ce que vous voulez insinuer. Je suis prête à croire
qu'elle a signé un papier, qu'elle a éprouvé la curiosité
de découvrir ce qu'il contenait, et qu'elle a sauté sur la
première occasion pour commettre une indiscrétion
somme toute normale.

— Elle est assez instruite pour lire et écrire ?

— Sûrement ! J'admets néanmoins qu'il est parfois
difficile de déchiffrer l'écriture d'une personne souffrant
de rhumatismes. Il se pourrait que plus tard, lorsqu'elle

eut vent des rumeurs circulant sur le codicille, elle ait estimé avoir lu un document testamentaire.

— Pourtant, il y avait bien un document forgé...

— Comment le savez-vous ?

— Je l'ai appris d'un notaire.

— Peut-être a-t-il commis une erreur

— Les notaires sont très pointilleux sur ces questions. D'ailleurs, celui dont je parle a fait appel aux experts et pris des dispositions pour amener l'affaire devant les tribunaux.

— Dans ce cas, il est aisé d'imaginer ce qui a dû se produire.

— Vraiment ? Et que s'est-il donc produit ?

— Eh bien, le lendemain ou quelques jours après avoir écrit ce codicille, Mrs. Llewellyn-Smythe eut une querelle avec sa dévouée « au pair », à moins qu'elle ne se soit tout simplement réconciliée avec son neveu ou sa nièce et ait décidé de détruire le codicille écrit devant témoins.

— Et ensuite ?

— Ensuite... ma foi, ensuite la vieille dame mourut et l'étrangère se dépêcha de produire un codicille pareil à l'original, imitant du mieux possible l'écriture des témoins et de sa patronne. Elle devait avoir aperçu les signatures de Mrs. Leaman et de Jim sur leur carte d'assurance. Mais son travail ne trompa pas les notaires et les ennuis commencèrent pour la voleuse.

— Madame, me permettez-vous de me servir de votre téléphone ?

— Je vous permets de vous servir du téléphone de Judith.

— Où se trouve votre amie ?

— Chez le coiffeur. Et Miranda est allée se promener. L'appareil se trouve dans le salon près de la porte-fenêtre.

Poirot disparut et resta absent quelques minutes. Lorsqu'il rejoignit son amie, cette dernière questionna :

— Alors ? Qui avez-vous appelé ?

— J'ai téléphoné à Mr. Ferguson, notaire. Et maintenant, je vais vous confier, à mon tour, une nouvelle. Le codicille, celui qui fut présenté aux notaires, et dont la validité fut contestée par les experts, ne porte pas la signature de Mrs. Leaman, mais celle d'une certaine Mary Doherty, femme de ménage, décédée depuis peu. Elle porte aussi celle de Jim Jenkins qui, comme vous le disait Mrs. Leaman, a émigré pour l'Australie.

— Ainsi, il y a bien eu un faux codicille... Et il semblerait aussi qu'il y ait eu un codicille authentique. Dites-donc, Poirot, tout cela ne devient-il pas un peu compliqué ?

— Très compliqué. A mon avis, il y a trop de falsifications dans l'air.

— Peut-être le codicille original se trouve-t-il encore à Quarry House, entre les pages de la reliure *Enquire within upon Everything ?*

— Je crois savoir qu'à la mort de Mrs. Llewellyn-Smythe tout a été vendu à l'exception de quelques meubles et tableaux de famille.

— Monsieur Poirot, cette Mrs. Leaman m'aurait-elle raconté des bobards, tout à l'heure ?

— Possible.

— Quelqu'un lui aurait-il *demandé* de me raconter des bobards ?

— Cela aussi est possible.

— Quelqu'un l'aurait-il *payée* pour qu'elle me raconte des bobards ?

— Continuez, continuez. Vous êtes bien partie.

— J'imagine que Mrs. Llewellyn-Smythe avait la manie, ainsi que beaucoup de femmes riches, de rédiger fréquemment des testaments en changeant sans cesse les noms de ses légataires. Les Drake qui étaient déjà aisés devaient hériter de la plus grosse part, mais si nous prenons en considération les déclarations de Mrs. Leaman, j'aimerais savoir si la testatrice a jamais manifesté l'intention d'avantager d'autres personnes comme elle le fit pour Olga. J'aimerais connaître un peu mieux cette étrangère qui me fait l'effet d'avoir mis au point une disparition remarquablement réussie.

— Moi aussi...

— Et à propos, la maîtresse d'école ?

— Laquelle ?

— Celle qui a été étranglée et dont vous parlait Miss Wittaker. Je n'aime pas beaucoup Miss Wittaker. Une femme intelligente, sans doute, mais horripilante. Je ne serais pas surprise si l'on apprenait qu'elle a trempé dans un meurtre.

— Estimez-vous qu'elle aurait pu aller jusqu'à étrangler une collègue ?

— Il faut bien épuiser toutes les possibilités, n'est-ce pas ?

XX

Pour quitter la maison de Judith Butler, Poirot emprunta le chemin familier de Miranda. En approchant de la haie, il remarqua dans les buissons une ouverture toute fraîche ne correspondant pas à la taille de la fillette. Il remonta le sentier de l'ancienne carrière, admirant une fois de plus le tableau qu'il avait sous les yeux.

Poirot se concentra un moment sur le genre de testament qu'écrivent les femmes riches et le genre de mensonges dont elles usent lorsqu'elles doivent faire allusion à leurs intentions testamentaires. Il se demanda ensuite quels endroits elles choisissaient pour cacher l'expression écrite de leur dernière volonté et il essaya de se mettre à la place d'un faussaire. Il n'était pas douteux que le codicille présenté comme pièce authentique avait été forgé. Impossible de soupçonner la droiture de Mr. Ferguson. Homme de loi prudent, il n'aurait jamais conseillé à un de ses clients d'intenter un procès à moins qu'il n'ait eu des raisons légitimes et bien fondées pour agir de la sorte.

Poirot suivit un coude du sentier et fut, une fois de

plus, ramené à la réalité par les douleurs que lui infligeaient ses souliers vernis. Devrait-il abandonner son projet de poursuivre jusque chez lui son ami Spencer en empruntant ce raccourci ? La route aurait été plus confortable que ce sentier. Brusquement, il se figea sur place.

Devant lui, deux silhouettes venaient d'apparaître. Assis sur un rocher bas, un carnet de croquis sur les genoux, Michael Garfield dessinait. Miranda s'éloignait. L'artiste leva la tête.

— Ah ! senor Moustachios ! Je vous souhaite un très bon après-midi.

— Puis-je jeter un coup d'œil sur votre travail, ou trouverez-vous ma présence gênante ? Je ne voudrais pas vous importuner.

— Vous pouvez regarder, cela ne me gêne en aucune façon.

Poirot se plaça derrière l'épaule de Garfield et hocha la tête en geste d'approbation. Sur le papier, un dessin délicat et tracé avec tant de finesse qu'il ressortait à peine, représentait Miranda.

— Exquis ! souffla le détective.

— C'est aussi mon opinion.

— Pourquoi ?

— Pourquoi je fais le portrait de Miranda ? Vous pensez qu'il me faut un motif ?

— Sans doute.

— Vous avez raison. Si je dois quitter cet endroit, il y a une ou deux choses dont j'aimerais emporter le souvenir ; Miranda est l'une d'elles.

— Craignez-vous de l'oublier aisément ?

— Trop aisément. Je suis ainsi, mais je sais qu'oublier, ne plus pouvoir se rappeler un mouvement d'épaule, un visage, une fleur ou la ligne d'un paysage peut causer une peine immense... presque insupportable. Vous enregistrez... et bientôt tout s'effrite.

— A l'exception, cependant, du jardin.

— Vous croyez ? Tout ce decor disparaîtra si personne n'est là pour y veiller. La nature reprend vite le dessus. Pour conserver le jardin tel qu'il est, il faut beaucoup d'amour, d'attention et de soins professionnels. Si un conseil municipal le prend en main, — ce qui arrivera tôt ou tard — il deviendra ce que l'on appelle un jardin public. On y placera des plantes exotiques, des bancs et des corbeilles à papier.

— Monsieur Poirot! La voix de Miranda leur parvint assourdie.

Le détective avança de quelques pas pour être entendu.

— Vous vous promeniez dans votre jardin favori?

— Oui, et non. Je cherche le puits.

— Il y a un puits, par ici?

— Il existait autrefois et l'on venait y faire des vœux.

— J'ignorais que l'on gardât un puits près d'une carrière.

— Il y a toujours eu des bois autour de la carrière et le puits s'y trouvait déjà avant que les travaux ne commencent. Michael sait où est son emplacement. Il refuse de m'y mener.

L'artiste intervint.

— Ce sera bien plus amusant pour vous si vous continuez à le chercher toute seule. Surtout si vous n'êtes pas certaine qu'il existe vraiment.

— La vieille Mrs. Goodbody m'en a parlé. Elle doit être au courant, elle, puisqu'elle est sorcière!

— Vous connaissez notre sorcière locale, monsieur Poirot? Même si elle ne jouit pas d'une grande réputation, les gosses se confient de bouche à oreille les capacités qu'ils lui attribuent.

Têtue, Miranda reprit:

— Le puits a un pouvoir surnaturel. On avait l'habitude de venir y formuler des vœux en tournant trois fois autour et à reculons. Il ne peut pas être loin. Mrs. Goodbody m'a appris qu'on l'avait condamné il y a longtemps parce qu'une fillette était tombée dedans.

— Une légende locale, ironisa le paysagiste, mais

je sais qu'il existe un puits à vœux à côté de Little Belling.

— Je vous avertirai lorsque j'aurai trouvé le mien !

— On ne doit pas prendre trop au sérieux ce que raconte une sorcière, Miranda. Si elle dit qu'un enfant est tombé dans un puits, il doit probablement s'agir d'un chat.

— *Ding, dong, dell, pussy's in the well* fredonna la fillette en se levant. Il faut que je parte à présent. Mummy m'attend.

Elle adressa un gentil sourire aux deux hommes, contourna le ruisseau et disparut au tournant d'un sentier.

— Ding, dong, dell murmura Poirot. On croit à tout ce que l'on veut dire, Micahel Gardfield. Avait-elle raison ou pas ?

L'artiste observa pensivement le détective avant d'ajouter :

— Elle a parfaitement raison. Un puits existe dans ces bois, condamné depuis longtemps, peut-être parce qu'il était en effet dangereux. Mais qu'il ait été un puits à vœux est sûrement une invention de la mère Goodbody.

— En avez-vous parlé à Miranda ?

— Je préfère la laisser rêver à son puits.

— Bon, eh bien ! je vais reprendre ma route.

— Vous allez chez votre ami policier ?

— C'est exact. Vous disiez tout à l'heure que vous dessiniez le portrait de Miranda pour vous souvenir de la fillette. Cela signifie-t-il que vous allez partir ?

— J'y songe, en effet.

— Cependant, il me semble que vous n'êtes pas mal ici.

— Evidemment, j'ai ma maison dont j'ai dressé moi-même les plans et j'ai mon travail... mais il me procure moins de satisfaction que par le passé.

— Pourquoi ?

— Parce que les gens désirent que je fasse pour eux des choses atroces. Il y a ceux qui veulent transformer leur jardin, ceux qui viennent d'acheter un terrain et me demandent de leur suggérer un décor s'harmonisant avec leur maison à peine achevée.

— N'allez-vous pas refaire le jardin de Mrs. Drake ?

— Elle m'en a prié et je lui ai soumis quelques idées qui semblent lui plaire. Néanmoins, je ne puis me décider à lui accorder ma confiance.

— Vous croyez qu'elle ne vous laisserait pas travailler à votre guise ?

— Je crains qu'elle ne cherche finalement à obtenir le résultat qu'elle escomptait, en dépit de ses promesses que seuls mes plans seraient respectés. Elle essaiera bientôt de m'intimider, de m'imposer ses volontés et nous nous querellerons. Il est donc préférable que je refuse de l'aider — elle et les autres d'ailleurs — et que je parte avant de m'attirer l'hostilité de ce village.

— Connaissez-vous la Grèce ?

— Oui et je serais heureux d'y retourner. Créer un jardin sur le flanc d'une colline grecque... quelques cyprès et des rochers incultes, presque rien d'autre.

— Un jardin où les dieux pourraient se promener...

— Vous êtes fin psychologue, monsieur.

— Je le souhaiterais. Il y a tant de choses que j'aimerais comprendre et que j'ignore. Dites-moi, vous qui êtes ici depuis assez longtemps, auriez-vous entendu parler d'un garçon appelé Lesley Ferrier ?

— Je me souviens très bien de lui. Il travaillait pour une firme de notaires à Medchester, n'est-ce pas ?

— Ne mourut-il pas de façon tragique ?

— En effet. Un soir, il fut poignardé, à la suite de complications sentimentales. Ferrier, qui était assez intime avec la femme d'un tenancier de pub, Sandra Griffin, se serait épris d'une jeune fille...

— Ce qui irrita l'épouse infidèle ?

— Naturellement. Remarquez que Lesley obtenait un succès fou auprès des femmes.

— Ses conquêtes étaient-elles toujours de nationalité anglaise ?

— Non, je ne le pense pas et pourvu qu'elles comprennent suffisamment la langue pour soutenir une conversation, les filles avaient une chance de lui plaire.

— Je ne doute pas que des étrangères viennent parfois s'installer dans la région.

— Les filles « au pair » font partie de la vie quotidienne.

— Lesley connaissait-il la jeune Olga ?

— Ma foi, je crois que oui, bien que Mrs. Llewellyn-Smythe n'en sût sans doute rien. Je ne sais ce qui attira Ferrier en Olga, car elle n'était pas jolie. Néanmoins... Il réfléchit avant de préciser... il y avait en elle une sorte d'intensité qui pouvait passer pour attrayante aux yeux d'un jeune Anglais. Lesley sortit plusieurs fois avec Olga.

— Ce que vous m'apprenez là est très intéressant.

Michael Garfield regarda le détective avec curiosité.

— Je ne comprends pas ?

— Je tente de remonter à une période antérieure à celle au cours de laquelle Lesley Ferrier et Olga Seminoff se rencontraient en cachette de Mrs; Llewellyn-Smythe.

— Vous savez, je n'irai pas jusqu'à affirmer que les choses avaient pris cette tournure. J'ai croisé le couple assez souvent, mais Olga ne m'a jamais pris pour confident. Quant à Ferrier je le connaissais à peine.

— Mais avant, bien avant tout cela... n'a-t-il pas eu quelques ennuis avec la police ?

— A ce qu'il paraît. J'ai entendu dire que Ferguson l'avait repris à sa sortie de prison. Un brave type, ce Ferguson.

— On m'a raconté qu'il a été condamné pour faux.

— C'est vrai. Il semblerait qu'il avait presque réussi son coup, mais que la firme où il travaillait tomba par hasard sur les pièces truquées.

— Et lorsqu'à la mort de Mrs. Llewellyn-Smythe, on examina le codicille qu'elle avait soi-disant laissé, il fut prouvé qu'elle n'avait jamais écrit le document en question.

— Essayez-vous d'associer les deux escroqueries ?

— Ce serait assez logique. Nous retrouvons, ensemble, l'homme qui falsifie les documents de son employeur, lié à la jeune fille qui présenta un faux codicille pour hériter de la fortune d'une vieille dame.

— Eh oui... C'est ainsi que vont les choses. Pourtant c'est Olga qui a été accusée. Remarquez que, personnellement, je n'ai jamais cru qu'Olga ait réussi à reproduire exactement le coup de plume de notre patronne. Evidemment, si elle avait mis Lesley dans le coup, ils ont dû croire qu'à eux deux, ils feraient du bon travail et pourtant, avec son expérience, Lesley aurait dû douter de son talent de faussaire.

Fixant brusquement le détective d'un œil coléreux, il lança :

— Mais pourquoi venez-vous me parler de tout cela dans mon beau jardin ?

— Je voulais savoir.

— Il est préférable de ne pas savoir, ne jamais savoir. Mieux vaut laisser le passé dormir en paix.

— Vous voulez la beauté, à n'importe quel prix ? Moi, c'est la vérité que je veux.

Michael Garfield éclata de rire :

— Retournez auprès de vos amis policiers et laissez-moi goûter le calme de mon jardin, de mon paradis... Retire-toi, Satan !

CHAPITRE XXI

Poirot montait à pas lents la côte menant à la maison du policier retraité. Brusquement, il s'arrêta, oubliant d'un coup ses pieds douloureux et la pente raide. Il venait d'assembler les faits qu'il soupçonnait, depuis quelque temps, d'avoir un point commun. Il réalisa aussitôt quel danger menaçait une nouvelle victime si certaines mesures n'étaient pas prises sur-le-champ.

Agité par cette réflexion, Poirot arriva à la « Cime des Pins » où il fut accueilli par Mrs Mac-Kay qui sortait justement sur le pas de sa porte.

— Vous avez l'air épuisé, monsieur Poirot ? Venez vous asseoir.

— Votre frère est-il là ?

— Non. Il vient d'aller à la gare. Je crois savoir qu'il s'agit d'un accident.

— Déjà ? C'est impossible, voyons !

— Que dites-vous ?

— Rien, rien. De quoi est-il question ?

— Ma foi, je l'ignore. Jim Raglan a téléphoné et a pressé mon frère de descendre. Voulez-vous que je vous prépare une tasse de thé ?

— Non, merci beaucoup, mais je crois... je crois que je vais regagner mon hôtel. Mes pieds me font souffrir. Je suis mal équipé pour la campagne et je crois que je ferais mieux d'aller changer de chaussures.

Elspeth baissa les yeux sur les pieds du détective.

— Je vois que celles-ci sont inconfortables. A propos, une lettre est arrivée pour vous. Elle vient de l'étranger. Attendez, je vais vous la chercher.

Un instant plus tard, elle tendait la lettre à Poirot.

— Si vous ne voulez pas l'enveloppe, j'aimerais la garder pour un de mes neveux qui collectionne les timbres.

— Certainement.

Poirot décacheta le pli, en tira le contenu et offrit l'enveloppe à la sœur de son ami qui le remercia et disparut à nouveau dans la maison.

Olga Seminoff n'avait pas regagné sa ville natale où il ne lui restait plus de famille. Elle y comptait cependant une amie, une dame d'un certain âge avec laquelle elle avait correspondu à intervalles réguliers, la tenant au courant de l'existence qu'elle menait en Angleterre. Elle l'informait qu'elle s'entendait bien avec sa patronne qui, si elle se montrait exigeante, savait par contre, être généreuse.

Dans ses lettres plus récentes et qui remontaient à un an et demi, elle faisait allusion à un jeune homme avec lequel elle espérait pouvoir se marier, lorsque ce garçon, dont elle ne révélait pas le nom, se serait fait une situation. Dans sa dernière missive, Olga reparlait de ses projets matrimoniaux qui prenaient bonne tournure. Lorsque la vieille dame n'avait plus eu de nouvelles de sa jeune compatriote, elle avait supposé qu'Olga avait épousé son Anglais et changé du même coup d'adresse.

Cela cadre parfaitement, pensa Poirot. Lesley Ferrier avait dû parler mariage à Olga sans pour cela s'engager trop avant. Mrs. Llewellyn-Smythe était mentionnée comme ayant été une personne « généreuse ». L'argent qu'avait reçu Lesley devait venir d'Olga pour le pousser à commettre un faux dont il bénéficierait plus tard avec sa complice.

Comme Mrs. McKay ressortait sur la terrasse, Poirot lui demanda ce qu'elle pensait de sés déductions touchant le couple Ferrier-Seminoff.

Elspeth réfléchit un moment avant de déclarer :

— Ma foi, si ces deux-là s'aimaient, ils devaient bien se cacher. Aucune rumeur n'a circulé sur leur còmpte et pourtant, chez nous, les flirts entre jeunes gens s'apprennent tôt ou tard.

— Ferrier fréquentait déjà une femme mariée, ce qui l'aura sans doute incité à conseiller à sa compagne de garder leurs rencontres secrètes.

— C'est possible. D'ailleurs, Mrs. Llewellyn-Smythe sachant que Ferrier était un garçon peu estimable, aura sans doute conseillé à son « au pair » de se méfier de lui.

Poirot plia méticuleusement le message de Mr. Goby et le glissa dans sa poche.

— Vous devriez me laisser vous préparer une tasse de thé avant de partir. Cela vous ferait du bien.

— Merci, madame, mais je préfère rentrer pour changer au plus tôt de chaussures. Vous ne devinez pas quand votre frère sera de retour ?

— Je n'en ai pas la moindre idée.

Poirot pris congé de Mrs. McKay et regagna son hôtel. Alors qu'il montait les marches du perron, la porte principale fut poussée par sa logeuse qui arborait un air mystérieux.

— Il y a là une dame qui désire vous voir. Elle vous attend depuis un bon moment. Je lui ai bien dit que j'ignorais où vous étiez ni à quelle heure vous rentreriez, mais elle a insisté pour vous attendre. Il s'agit de Mrs. Drake. J'ai l'impression qu'elle est dans tous ses états. Elle, habituellement si calme, me fait l'effet d'avoir reçu un choc. Je l'ai laissée dans le salon. Voulez-vous que je vous serve du thé ?

— Non, merci. Je crois qu'il vaudrait mieux que j'écoute d'abord ce qu'elle est venue me confier.

Il entra dans le salon. En entendant la porte se refermer, Rowena Drake se retourna d'un élan.

— Monsieur Poirot! Enfin, vous voici!

— Je suis désolé, madame, mais j'ignorais que vous vouliez me rencontrer. Quelque chose qui ne va pas?

C'était là une question qu'il n'aurait jamais cru pouvoir adresser un jour à son interlocutrice. Rowena Drake laissant voir qu'elle n'était plus la maîtresse des événements, c'était impensable!

— Vous êtes au courant?

— De quoi?

— C'est horrible! Il est mort... quelqu'un l'a tué!

— Qui est mort, madame?

— Il n'était qu'un enfant et moi qui avais pensé... mais aussi, quelle idiote j'ai été! J'aurais dû vous faire confiance. Je me sens terriblement coupable de m'être crue capable de savoir mieux que quiconque ce qu'il conviendrait de décider... J'ai agi ainsi parce que j'étais persuadée d'avoir trouvé la meilleure solution, monsieur Poirot. Il faut absolument que vous me croyiez.

— Asseyez-vous, madame et racontez-moi. Un autre enfant est mort... quel enfant?

— Son frère, Léopold.

— Léopold Reynolds?

— Oui. Il a été trouvé sur un sentier de la colline. J'imagine qu'en sortant de l'école, il s'est offert un détour pour aller jouer dans le ruisseau qui passe là-haut. Quelqu'un lui a maintenu la tête sous l'eau et il est mort asphyxié.

— Comme Joyce.

— Oui. Je suis sûre que ces actes criminels sont l'œuvre d'un fou. Ce qu'il y a de plus angoissant, c'est qu'on ne possède pas le moindre indice. Et moi qui me figurais avoir deviné juste! Je pensais vraiment...

— Il faut tout me dire, madame.

— Bien sûr. Vous êtes venu me parler de ce geste de surprise qu'Elizabeth Whittaker avait cru me voir esquisser dans les escaliers, au cours de la soirée. Elle pensait que j'avais pu apercevoir quelque chose d'insolite. J'ai nié parce que j'étais persuadée...

Elle se tut et Poirot la pressa :

— Vous aviez vu quelque chose, en réalité ?

— Oui et je regrette de ne pas vous l'avoir appris plus tôt. La porte de la bibliothèque s'est ouverte et il est apparu sur le seuil. Il s'est immobilisé un moment et a disparu presque aussitôt.

— De qui parlez-vous ?

— De Léopold.

— Vous avez pensé que... que Léopold venait de tuer sa sœur. C'est cela ?

— Oui. Pas tout de suite, cependant. J'ignorais encore que Joyce était morte. Mais j'ai trouvé que Léopold avait une expression bizarre. Dans un sens, il était un enfant assez effrayant. Il donnait toujours l'impression de n'être pas tout à fait normal. Très intelligent, il semblait ne pas vivre comme les autres gens. Lorsque je l'ai aperçu, je me suis dit : « Pourquoi Léopold n'est-il pas avec ses camarades à jouer au *Snapdragon* ? Il fait une drôle de tête. Je me demande ce qu'il cherchait dans la bibliothèque ? » Ensuite, ma foi, j'ai oublié l'incident, mais son apparition soudaine a dû me surprendre au point que je lâchai le vase de fleurs. Quand Joyce a été trouvée, je repensai à ce qui s'était passé plus tôt et j'en déduisis...

— Que Léopold avait tué sa sœur.

— Oui... Une monstrueuse erreur de jugement. Que Léopold ait été tué à son tour, signifie qu'il avait dû se rendre dans la bibliothèque, y voir sa sœur... morte, et ressentir un choc terrible. Voulant se sauver sans être remarqué, il aura jeté un coup d'œil dans le hall et m'apercevant, se croire obligé de battre en retraite.

— Et vous n'avez rien dit, madame ? Même après la découverte du crime ?

— Il... il était si jeune, à peine onze ans. J'avais le sentiment qu'il n'avait pu réaliser la portée de son acte.

Mes intentions étaient pures, monsieur Poirot. Je pensais agir pour le mieux.

D'un ton distrait, Poirot remarqua :

— Je viens d'apprendre aujourd'hui que Léopold dépensait beaucoup d'argent ces derniers temps. Quelqu'un devait le payer pour qu'il garde le silence.

— Mais qui... qui ?

— Nous le saurons bientôt.

CHAPITRE XXII

Il n'était pas dans les habitudes d'Hercule Poirot d'avoir recours à l'opinion d'autrui. Néanmoins, bien qu'il fût presque toujours satisfait de son propre jugement, il lui arrivait quelquefois, de solliciter l'avis de personnes qu'il estimait. Lorsqu'il eut abouti à ses conclusions personnelles touchant le meurtre des deux enfants, il eut un entretien avec son ami Spencer et l'inspecteur Raglan, loua une voiture et avant de se rendre à Londres, se fit déposer à l'école des « Elms » où il pria Miss Emlyn de l'excuser de la déranger à une heure aussi indue.

— Je suppose que vous ne viendriez pas me trouver pour un motif futile, monsieur Poirot ?

— Vous êtes trop aimable, mademoiselle. Pour être franc, j'ai besoin d'un conseil.

Cette remarque laissa Miss Emlyn sceptique.

— Je n'avais pas l'impression que cette modestie fût un trait de votre caractère, monsieur Poirot.

— Cela est vrai, cependant j'aimerais beaucoup recevoir, de la part d'une personne dont je respecte grandement le bon sens, l'assurance que mes soupçons sont fondés. J'ai découvert l'identité du meurtrier de Joyce Reynolds et je crois que comme moi, vous le connaissez.

— Je ne vous ai pourtant rien dit !

— Certainement et cela m'incite à penser que votre conviction est sans fondement solide.

— Soit. Admettons que j'aie abouti à une conclusion. Cela n'implique pas que je doive vous la communiquer.

— Non... mais j'aimerais écrire quatre mots sur un morceau de papier et obtenir votre approbation en ce qui les concerne.

— Quatre mots ? Vous m'intriguez !

Poirot s'exécuta et tendit une feuille que la directrice parcourut des yeux.

— Eh bien ?

— Je partage votre opinion en ce qui concerne les deux premiers. Les deux autres sont plus difficiles, car je n'ai pas de preuves et je vous avouerai franchement que je n'y avais pas pensé.

— Mais pour les premiers, vous *avez* des preuves ?

— Je le pense, oui.

— L'eau ! annonça-t-il lentement. Dès que vous avez su, vous avez compris. Moi aussi. Nous avons tous les deux compris. Et à présent, un garçon vient d'être noyé dans un ruisseau.

— Un coup de téléphone me l'a annoncé avant votre arrivée. Comment le frère de Joyce était-il impliqué dans l'affaire ?

— Il voulait de l'argent. Il en obtint, mais lorsque l'occasion s'est présentée, on s'est débarrassé de lui. La personne qui me l'apprit était remplie de compassion, bouleversée. Pour obtenir de l'argent, Léopold avait pris des risques. Il était assez intelligent, assez rusé même pour deviner où pouvait le mener son petit jeu. Il n'avait que dix ans, mais l'âge ne compte pas lorsque l'on se lance dans une telle entreprise. Ce qui importe maintenant, c'est d'aider un autre Léopold à rester en vie. Un meurtrier qui a frappé plus d'une fois est un danger pour la société, surtout si, pour lui, tuer est le seul moyen qu'il lui reste de sauvegarder sa sécurité. Je me rends à Londres où je compte rencontrer quelques gens avec lesquels je tâcherai de mettre au point un système d'approche. Il y a encore un détail sur lequel j'aimerais obtenir votre opinion, mademoiselle. Croyez-vous que je puisse accorder toute ma confiance à Nicholas Ransom et Desmond Holland ?

— Oui. J'admets que par certains côtés, ils ont des réactions assez puériles, mais fondamentalement, ils sont aussi sains qu'une pomme sans vers.

— Nous en revenons toujours aux pommes, remarqua Poirot, tristement. Il faut que je parte, à présent. Je dois rendre une visite avant de reprendre ma course vers Londres.

CHAPITRE XXIII

1

— Etes-vous au courant de ce qu'il se passe à Quarry Wood? demanda Mrs. Cartwright, en plaçant un paquet de Fluffly Flakelets dans son panier à provisions.

— Non, je ne sais rien, répondit Mrs. McKay.

Les deux femmes venaient de se rencontrer dans le nouveau supermarché de Woodleigh Common.

— Il paraîtrait que les arbres menacent de s'abattre. Deux forestiers sont arrivés ce matin et inspectent les bois sur la colline du côté du vieil arbre penché. Ils creusent autour des racines, paraît-il. C'est dommage, ils vont tout saccager.

— Ils doivent connaître leur métier. Quelqu'un les a sans doute appelés.

— Deux policiers veillent à ce que personne n'approche de trop près tant qu'ils n'auront pas exactement localisé le danger.

— Je comprends, répondit Mrs. McKay.

Peut-être comprenait-elle. Elspeth n'avait pas besoin

d'être beaucoup plus renseignée pour réaliser la gravité
de la situation.

2

Ariadne Oliver ouvrit le télégramme qu'on venait
de lui remettre à la porte de son amie. Elle était tellement habituée à recevoir des messages téléphoniques
que la vue d'un vrai télégramme lui causa une forte émotion.

PRIERE EMMENER MRS. BUTLER ET
MIRANDA A VOTRE APPARTEMENT IMMEDIA-
TEMENT, PAS DE TEMPS A PERDRE IMPORTANT
VOIR DOCTEUR POUR OPERATION. »

Elle se rendit dans la cuisine où son amie préparait
une « gelée » parfumée au coing.

— Judith, rangez vite quelques affaires dans une
valise. Je rentre à Londres et vous m'accompagnez avec
Miranda.

— C'est très gentil à vous de nous inviter, Ariadne,
mais j'ai trop de choses en train pour pouvoir m'absenter en ce moment. De toute manière, vous n'êtes pas
obligée de vous sauver aussi rapidement !

— Je vous dis qu'il le faut. Je viens d'en être instruite.

— Par qui, votre femme de ménage ?

— Non. Il s'agit d'une des rares personnes auxquelles
j'obéis sans discuter. Allons, dépêchez-vous !

— Mais c'est impossible !

— Il le faut, la voiture est prête. Je l'ai amenée
devant la grille. Nous pouvons partir immédiatement.

— Dans ce cas, j'ai envie de laisser Miranda chez les
Reynolds ou chez Rowena Drake ?

— Miranda vient avec nous. Je vous en prie, c'est très

sérieux. Ne perdons pas notre temps à discuter ! Tenez, lisez !

Elle tendit le télégramme à Mrs. Butler. Lorsque cette dernière en eut pris connaissance, elle s'enquit :

— Que signifie le mot « opération » ?

— C'est un mot de code pour dérouter d'éventuels indiscrets.

— Ariadne, j'ai peur.

Mrs. Oliver regarda son amie qui tremblait et trouva qu'elle ressemblait plus que jamais à Ondine, complètement détachée de la réalité.

— Songez, ma chère, que j'ai promis à Hercule Poirot de vous emmener lorsqu'il m'en donnerait l'ordre. L'heure est venue de lui obéir sans discuter.

— Seigneur ! Quelle idée j'ai eue de venir m'installer dans ce village !

— Il est inutile de chercher à raisonner sur ce qui pousse les gens à choisir de s'implanter en un lieu plutôt qu'en un autre.

S'avançant sur le seuil de la porte-fenêtre, Ariadne appela :

— Miranda ! Venez vite, nous partons pour Londres.

La fillette surgit.

— Pour Londres ?

— Nous y allons en voiture, expliqua sa mère. Nous y verrons une pièce de théâtre et Mrs. Oliver essaiera de nous obtenir des places pour un ballet. Cela vous plairait-il de voir un ballet ?

— Enormément. — Les yeux de la fillette brillèrent de joie. — Mais d'abord, je dois aller dire au revoir à un ami.

— Nous partons dans un instant.

— Je ne serai pas longue, Mummy.

Elle disparut en courant.

— Qui sont les amis de Miranda ? questionna Mrs. Oliver.

— Je ne sais pas ; elle ne me confie jamais rien. J'ai néanmoins le sentiment que ses seuls vrais amis sont les oiseaux et les écureuils des bois. Je crois que ses compagnes de classe l'aiment beaucoup, mais elle ne recherche pas souvent leur compagnie et en invite très peu à prendre le thé à la maison. Je pense que sa meilleure camarade était Joyce Reynolds. Elles se confiaient tous leurs secrets. Se levant, elle annonça : ma foi, puisque votre décision est arrêtée, je ferais bien d'aller me préparer. Mais franchement, j'aurais souhaité ne pas partir si vite. J'ai un tas de choses en train, cette gelée, par exemple...

— Inutile de discuter, vous ne faites que nous retarder !

Judith descendait chargée de deux valises lorsque Miranda entra, toute essoufflée.

— Nous ne mangeons pas, aujourd'hui ? demanda-t-elle.

En dépit de sa fragilité apparente, Miranda était une enfant comme les autres.

— Nous nous arrêterons en route pour déjeuner, répondit Mrs. Oliver. Nous irons au *Black Boy* à Haversham qui n'est qu'à trois quarts d'heure d'ici. Venez, Miranda.

— Je n'aurai donc pas le loisir de prévenir Cathie que je ne l'accompagnerai pas au cinéma demain ? Peut-être pourrais-je lui téléphoner, Mummy ?

— Entendu, mais vite !

Miranda courut au salon tandis que les deux femmes allaient placer les valises dans le coffre de la voiture.

Lorsque Miranda les rejoignit, elle expliqua :

— Elle n'était pas là, mais j'ai laissé un message pour elle.

Lorsqu'elles furent toutes trois installées dans la voiture que conduisait Mrs. Oliver, Judith Butter remarqua :

— Cette décision précipitée est de la pure folie, Ariadne ! Qu'est-ce qu'il se passe ?

— Nous l'apprendrons en temps voulu. Je ne sais si c'est moi qui suis folle ou lui.

— Qui ça, lui ?
— Hercule Poirot.

Dans un appartement londonien, quatre hommes faisaient cercle autour d'Hercule Poirot. Il y avait là l'inspecteur Timothy Raglan affichant une mine de joueur de pocker, comme cela lui arrivait lorsqu'il se trouvait en présence de ses supérieurs ; le Superintendant Spencer ; Alfred Richmond, le commissaire de police du comté, et un homme à la figure grave qui représentait le Ministère public.

L'un d'eux prit la parole.

— Vous semblez sûr de ce que vous avancez, monsieur Poirot ?

— J'en suis sûr, affirma Poirot. Lorsqu'un problème de cette sorte se pose, nous devons envisager toutes les explications possibles et les éliminer une à une jusqu'à ce que nous arrivions à la dernière qui est obligatoirement la bonne.

— Si vous me permettez un peu de scepticisme, je vous dirai que les mobiles que vous évoquez me paraissent plutôt compliqués.

— Au contraire, ils sont tellement simples qu'il est difficile d'en prendre tout de suite clairement conscience.

Le gentleman du Ministère public n'eut pas l'air très convaincu par la réponse.

L'inspecteur Raglan intervint :

— Nous aurons sous peu une preuve définitive. Naturellement, si notre petite expérience démontre que nous avons fait fausse route...

— Ding, dong, dell le chat n'est pas dans le puits, trancha Poirot. C'est bien cela ?

— Vous admettrez que cette hypothèse n'est... n'est enfin qu'une hypothèse !

— Non... L'évidence aurait dû nous frapper dès le début. Lorsqu'une jeune femme disparaît, il n'y a pas trente-six solutions. Ou bien elle a suivi l'homme dont elle était amoureuse, ou bien elle est morte.

— Y a-t-il d'autres points sur lesquels vous souhaiteriez attirer notre attention, monsieur Poirot ?

— Oui. Je me suis mis en rapport avec une agence très réputée que je connais et qui est spécialisée dans les placements immobiliers aux Antilles, dans la mer Egée, l'Adriatique, la Méditerranée et autres sites ensoleillés où se ruent les millionnaires de ce monde. On m'a informé d'un achat récent qui, sans doute, vous intéressera.

Quelqu'un demanda :

— Vous croyez que cela expliquerait la situation ?

— J'en suis certain.

— Je me figurais que la vente d'îles dans ce coin était interdite par le gouvernement intéressé ?

— L'argent abat bien des barrières.

— Encore autre chose, monsieur Poirot ?

— J'espère que, dans les vingt-quatre heures qui viennent, je serai en état de vous apporter la preuve qui vous convaincra.

— De quoi s'agit-il ?

— D'un témoin oculaire.

L'homme de loi eut l'air plus incrédule que jamais.

— Où se trouve ce témoin à l'heure présente ?

— J'ai des raisons de penser qu'il est en route pour Londres.

— Pourtant, vous semblez... inquiet ?

— C'est exact. J'ai agi de mon mieux pour contrôler la situation, mais je ne puis m'empêcher de craindre que mes mesures n'aient pas été assez efficaces. Voyez-vous, messieurs, nous avons affaire à quelqu'un d'une implacable cruauté, littéralement obsédé par une hantise de possession et atteint — du moins je le soupçonne — d'une certaine forme de démence.

— Sur ce point, il nous faudra avoir recours à des avis plus autorisés, remarqua l'homme de loi, ironiquement. Il est évident que, pour le moment, nous n'avons qu'à attendre le rapport des forestiers. S'il est positif, nous pourrons alors progresser rapidement, au cas où il s'avérerait négatif, force nous serait de repartir à zéro et d'étudier l'affaire sous un autre angle.

Hercule Poirot se leva.

— Messieurs, je dois partir. Je vous ai tout appris de ce que je savais et de ce que je redoute. Je resterai en contact avec vous.

CHAPITRE XXIV

1

Mrs. Oliver s'assit à une table située dans une encoignure de fenêtre du *Black Boy* et nota que la salle était presque vide. Elle n'en fut pas fâchée. Judith Butler qui était allée se repoudrer la rejoignit bientôt.

— Quel est le plat préféré de Miranda? s'enquit l'écrivain, en consultant le menu.

— Le poulet rôti.

— Parfait. Et vous?

— Je prendrai la même chose.

Mrs. Oliver commanda trois portions de poulet et lorsque la serveuse se fut éloignée, elle observa pensivement son amie.

— Pourquoi me regardez-vous ainsi? demanda cette dernière.

— Je songeais qu'au fond, je sais bien peu de choses de vous.

— Cela ne pourrait-il être dit de tout le monde?

— Parce qu'à votre avis, on ne connaît jamais à fond une personne?

— N'est-ce pas exact ?
— Sans doute.
Elles se turent un moment, puis Judith remarqua :
— Ils mettent longtemps à servir.
— Je crois que notre serveuse revient.
La jeune fille apportait en effet leurs assiettes.
— Miranda tarde beaucoup.
— Elle est passée par ici en entrant.
Judith se leva d'un mouvement impatient.
— Je vais la chercher.
— Pensez-vous que le voyage en voiture l'ait incommodée ?
— C'est possible. Enfant, elle ne pouvait supporter ce genre de transport. Je vais voir si tout va bien.
— Quelques instants plus tard, Mrs. Butler revenait seule.
— Elle n'est pas dans les toilettes. Mais j'ai remarqué une porte latérale donnant sur l'extérieur. Peut-être est-elle en train d'observer un oiseau ou un animal. Miranda est ainsi.
— Pas le temps d'observer les oiseaux aujourd'hui. Nous devons bientôt reprendre la route. Allez l'appeler, Judith.

2

Elspeth McKay piqua soigneusement des saucisses avec une fourchette, les allongea dans un plat allant au four et les rangea dans le frigidaire. Puis, comme elle commençait à éplucher des pommes de terre, la sonnerie du téléphone résonna.
— Mrs. McKay ? Sergent Goodwin à l'appareil. Pourrai-je parler à votre frère ?
— Il n'est pas encore revenu de Londres où il devait passer la journée.

— Je sais, je viens d'essayer de l'y joindre, mais on m'a appris qu'il était parti. Lorsqu'il rentrera, annoncez-lui que nous avons obtenu un résultat positif.

— Dois-je comprendre que vous avez trouvé un corps dans le puits ?

— La nouvelle s'est déjà répandue à travers tout le village.

— De qui s'agit-il ? La fille « au pair » ?

— Il semblerait.

— Pauvre gosse... S'est-elle jetée dans le puits ?

— Ça m'étonnerait. Elle avait encore un couteau dans le dos.

3

Après que sa mère l'eut laissée aux toilettes, Miranda s'assura que personne ne venait. Alors, elle ouvrit doucement la porte latérale et traversa en courant le jardin jusqu'à un vieux hangar aménagé en garage. De l'intérieur, elle actionna un loquet et poussa un lourd battant qui ouvrait sur une allée étroite au bout de laquelle une voiture en stationnement attendait. Au volant, un homme barbu, aux sourcils grisonnants, lisait son journal. Miranda courut, ouvrit la portière, sauta près du conducteur et éclata de rire.

— Ce que vous êtes drôle comme ça !

— Riez tout votre soûl, personne ne vous en empêchera.

Le moteur vrombit, suivit un moment la route, puis tourna à droite, à gauche, encore à droite pour s'engager finalement sur une voie secondaire.

— Nous ne sommes pas en retard, remarqua soudain le conducteur. Bientôt je vous montrerai la hache à deux tranchants comme elle doit être vue et aussi Kilterbury Down qui offre une vue splendide.

Un véhicule arriva sur eux en trombe et les frôla au passage. Le conducteur fit une embardée qui le força à empiéter sur le bas-côté.

— Ces jeunes idiots ! maugréa-t-il.

Il avait remarqué que l'un des occupants de l'autre voiture portait une longue chevelure et de grosses lunettes teintées ; son compagnon aurait pu passer pour un Espagnol avec ses favoris noirs et touffus.

— Vous ne croyez pas que Mummy va se faire du souci à mon sujet ? interrogea brusquement Miranda.

— Avant qu'elle ne constate votre absence, nous serons arrivés.

4

A Londres, Hercule Poirot écouta la voix lointaine d'Ariadne Oliver qui annonçait :

— Nous avons perdu Miranda.

— Comment cela, perdu ?

— Nous déjeunions aux « Black Boy » de Haversham. Elle s'est rendue aux toilettes et nous ne savons où elle a filé. On croit l'avoir vue partir en voiture avec un vieux gentleman. Mais c'est sans doute une fausse piste, car...

— Quelqu'un aurait dû l'accompagner ! Je vous avais avertie qu'il y avait du danger dans l'air. Mrs. Butler est-elle inquiète ?

— Naturellement ! Que croyez-vous ? Elle est dans tous ses états et insiste pour appeler la police.

— C'est la meilleure chose à faire. Je vais l'appeler de mon côté.

— Mais pourquoi Miranda devrait-elle courir un danger quelconque ?

— Vous ne savez pas ? Le corps vient d'être retrouvé !

— Quel corps ?

— Le corps dans le puits.

CHAPITRE XXV

— Que c'est beau ! s'extasia Miranda, en embrassant le décor du regard.

Kilterbury Ring était un site dont la beauté attirait beaucoup de visiteurs bien que ses ruines ne fussent pas particulièrement renommées. Çà et là, une haute pierre mégalithique s'élevait encore très droite malgré les intempéries, vieux témoin d'un culte depuis longtemps aboli.

— Pourquoi avaient-ils disposé ces pierres de cette façon ?

— Pour procéder aux rites : rite d'adoration, rite des sacrifices. Vous comprenez pleinement ce que cela signifie, n'est-ce pas ?

— Je crois.

— Les sacrifices sont nécessaires, vous saisissez ? C'est important.

— Vous voulez dire qu'ils ne sont pas une forme de punition ?

— Non. On meurt afin que d'autres êtres puissent vivre. On meurt afin que la beauté demeure, qu'elle se matérialise. Voyez-vous, c'est cela qui est important.

— Je pensais que peut-être...

— Oui, Miranda... ?

— Je pensais que l'on devait mourir parce que l'on avait fait quelque chose de mal, quelque chose qui avait pu causer la mort de quelqu'un.

— Qui vous a mis cette idée en tête ?

— Je faisais allusion à Joyce. Si je ne lui avais pas confié un certain secret, elle ne serait pas morte à l'heure qu'il est.

— Peut-être pas.

— Depuis qu'elle est morte, je suis préoccupée. Pourquoi l'ai-je mise au courant de ce que je savais ? Sans doute parce que je voulais l'impressionner, après qu'elle m'eut raconté les histoires merveilleuses concernant son voyage aux Indes. Je crois aussi que je voulais mettre quelqu'un au courant de ce dont j'avais été témoin parce que vous comprenez, avant, je n'avais pas vraiment réfléchi... Est-ce que la mort de Joyce était aussi un sacrifice ?

— Dans un sens, oui.

Miranda resta un moment songeuse, puis s'enquit :

— N'est-il pas temps, à présent ?

— Le soleil n'est pas encore parvenu à l'angle voulu. Je crois que dans cinq minutes, il tombera juste sur la pierre.

Ils demeurèrent immobiles près de la voiture à regarder les rayons lumineux progresser lentement sur les ruines dont les ombres s'allongeaient à leurs pieds.

— Maintenant ! annonça le compagnon de Miranda : Regardez le soleil qui va bientôt se fondre à l'horizon, il donne une teinte irréelle au décor. Il n'y a personne pour troubler la solennité de cet instant. Je vais d'abord vous montrer la hache à deux tranchants. Elle fut gravée dans la pierre par des troupes venues de Mycènes ou de Grèce, il y a de cela des siècles. C'est merveilleux, vous ne trouvez pas ?

— Oui, c'est merveilleux. Montrez-moi la hache.

Ils s'approchèrent d'une sorte de dolmen au pied

duquel une pierre inclinée s'appuyait sur un roc effondré.

— Etes-vous heureuse, Miranda ?

— Très heureuse.

— Vous voyez le signe, dans la pierre ?

— Est-ce cela, la hache à deux tranchants ?

— Oui. L'empreinte est usée par le temps mais elle est encore reconnaissable. C'est là le symbole. Posez votre main dessus et nous allons boire... boire au passé, à l'avenir et à la beauté.

— Que c'est joli !

Une coupe dorée fut glissée entre ses doigts et emplie d'un liquide de couleur topaze.

— Buvez, Miranda. Cette boisson qui a le parfum de la pêche répandra en vous un bonheur souverain.

Miranda leva la coupe et huma son contenu.

— C'est vrai, elle sent la pêche. Oh ! regardez le soleil. Il est rouge-or !

Il la tourna vers la lumière et elle demeura docile, une main posée sur le signe à demi effacé, l'autre portant la coupe, et les yeux fixés sur l'astre figé à l'horizon.

Son compagnon se tenait à présent derrière elle et ni l'un ni l'autre ne prirent conscience de l'approche des deux hommes qui grimpaient la colline dans leur dos, à demi-courbés et se dirigeant vers eux.

— Buvez à la beauté, Miranda.

— *Du diable si elle boira !* lança une voix.

Une veste de velours rose vola au-dessus d'une tête, un poignard tomba de la main qui cherchait à frapper. Nicholas Ransom tira la fillette à l'écart des deux hommes qui luttaient.

— Espèce d'idiote ! cria-t-il. Vous balader avec un meurtrier ! Vous auriez dû comprendre ce que cela signifiait !

— Dans un sens, je crois que je l'avais deviné... J'allais être sacrifiée parce que tout était ma faute. Joyce est morte à cause de moi et il était juste que je paie à mon tour. J'aurais été l'instrument d'un crime rituel.

— Ne commencez pas à me raconter des balivernes sur ce sujet. On vient de trouver l'autre fille, vous savez l'étrangère qui a disparu, il y a près de deux ans. Tout le monde pensait qu'elle s'était enfuie après avoir falsifié un testament, mais son corps avait été jeté dans un puits.

— Oh! Miranda poussa un cri déchirant. Pas dans le puits aux souhaits? Pas dans celui que je voulais tant retrouver... je ne veux pas que ce soit dans mon puits! Qui... qui l'y a mise?

— Celui qui vous a amenée ici.

CHAPITRE XXVI

Comme la fois précédente, ils étaient quatre à faire cercle autour de Poirot, ceux-là même qui s'étaient réunis pour écouter sa théorie touchant le crime de Woodleigh Common. Timothy Raglan, le Superintendant Spencer et le commissaire de police attendaient, pareils au chat qui convoite depuis longtemps un peu de crème. Le quatrième homme gardait une attitude réservée.

— Eh bien, monsieur Poirot, attaqua le commissaire de police, nous sommes tous présents.

Sur un signe du détective, l'inspecteur Raglan quitta la pièce et revint, accompagné d'une jeune femme, d'une fillette et de deux adolescents.

Il se chargea des présentations.

— Mrs. Butler, Miss Miranda Butler, Mr. Nicholas Ransom et Mr. Desmond Holland.

Poirot se leva et prit Miranda par la main.

— Asseyez-vous près de votre mère, mon enfant. Mr. Richmond qui est commissaire de police, désire vous poser certaines questions. Il vous faudra lui répondre. Ces questions concerneront un événement qui se déroula il y a presque deux ans et dont vous fûtes témoin. Depuis, vous n'avez confié ce que vous aviez vu qu'à une seule personne ?

— J'en ai parlé à Joyce.

L'inspecteur enchaîna :

— Qu'avez-vous dit exactement à Joyce ?

— Que j'avais été témoin d'un meurtre.

— Et vous n'avez révélé ce fait à nul autre ?

— Non. Cependant, je crains que Léopold n'ait été au courant. Il avait l'habitude de toujours écouter aux portes pour surprendre les secrets des gens.

— Vous avez entendu raconter que l'après-midi précédant la fête du Potiron, Joyce Reynolds a affirmé avoir été témoin d'un meurtre. Etait-elle sincère ?

— Non. Elle répétait ce que je lui avais confié, s'attribuant la découverte du meurtre à ma place.

— Voulez-vous, à présent, nous rapporter ce que vous aviez vu ?

— Sur le moment, je n'ai pas réalisé qu'il s'agissait d'un meurtre. Je croyais qu'il y avait eu un accident et qu'elle était tombée d'un rocher.

— Où cela se passait-il ?

— Dans le jardin... vers le trou qui marque l'emplacement de l'ancienne fontaine. Je me trouvais postée dans un arbre à surveiller les mouvements d'un écureuil.

— Et puis ?

— Un homme et une femme portant un corps sont arrivés. Tout d'abord, je me suis figuré qu'ils transportaient la blessée dans la maison ou à l'hôpital. La femme s'est brusquement arrêtée et a murmuré : « Quelqu'un nous observe. » Elle fixait l'arbre dans lequel je me tenais et j'eus brusquement peur. Comme je ne bougeais pas, l'homme a remarqué : « Mais non, voyons. » Ils reprirent leur ascension.

— Vous ne vous êtes pas ouverte à votre mère de ce dont vous aviez été témoin ?

— Non. J'ai pensé que peut-être je n'aurais pas dû

me trouver là à espionner. Et comme le jour suivant, je n'entendis pas parler d'un accident, j'oubliai l'affaire jusqu'au jour...

Elle se tut brusquement. Le commissaire ouvrit la bouche... et la referma. Il adressa un geste imperceptible à Poirot qui encouragea doucement la petite fille.

— Nous vous écoutons, Miranda.

— Ce jour-là, dissimulée parmi des branchages, j'observais un pivert. Les deux *mêmes* personnes sont venues s'installer sur un banc non loin de ma cachette et ont parlé d'une île... une île grecque. La femme eut une remarque dont je crois me souvenir : « Tous les papiers sont signés, elle est à nous et nous pourrons nous y installer quand nous le voudrons. Mais il est inutile de précipiter les choses. » A ce moment, le pivert s'envola et je bougeai. La femme sursauta et murmura comme autrefois : « Je crois que quelqu'un nous observe », et son visage reflétait la peur. Je compris alors que j'avais sous les yeux les deux complices d'un meurtre que j'avais surpris tandis qu'ils transportaient leur victime pour l'enterrer quelque part dans les bois.

— Quand cela se passait-il ?

Miranda réfléchit avant de répondre :

— En mars dernier, juste après Pâques.

— Pouvez-vous nous apprendre qui étaient les deux personnes que vous aviez surprises, Miranda ?

— Naturellement.

— Avez-vous vu leurs visages ?

— Bien sûr.

— Qui étaient-elles ?

— *Mrs. Drake et Michael.*

Le commissaire de police reprit :

— Vous n'en avez donc parlé à personne à part Joyce. Pourquoi ?

— Je pensais... je pensais qu'il s'agissait d'un sacrifice.

— Qui vous a mis cette idée en tête ?

180

— Michael. Il affirmait que les sacrifices étaient nécessaire.

Poirot demanda :

— Vous aimiez bien Michael ?

— Oh ! oui ! je l'aimais beaucoup.

CHAPITRE XXVII

— Maintenant que nous voici, lança Mrs. Oliver, je veux tout savoir.

Et elle demanda sur un ton sévère :

— Pourquoi n'êtes-vous pas venu plus tôt ?

— Toutes mes excuses, madame, j'ai été retenu par la police que je devais aider dans ses investigations.

— Confiez-moi ce qui a bien pu vous pousser à soupçonner Rowena Drake ? Personne d'autre que vous n'y aurait songé !

— Une fois en possession de l'indice essentiel, ce me fut très facile.

— Qu'appelez-vous l'indice essentiel ?

— L'eau, voyons ! Je voulais trouver quelqu'un qui lors de la soirée, était mouillé alors qu'il n'avait aucune raison de porter des traces humides sur ses vêtements. Le meurtrier de Joyce devant nécessairement s'être fait mouiller au cours de la lutte qui l'opposa à une fillette vigoureuse comprenant les intentions de son bourreau. C'est ainsi que naquit l'accident du vase. Lorsque tout le monde a été réuni dans la salle à manger où se déroulait le jeu du *Snapdrogon*, Mrs. Drake pria Joyce, de l'accompagner dans la bibliothèque. Joyce, bien entendu, ne nourrissait aucun soupçon contre Mrs. Drake. Miranda lui avait confié avoir été témoin d'un meurtre, mais n'avait pas précisé le nom des deux complices. Joyce, une fois noyée, son agresseur se trouva trempé. La meurtrière dut donc inventer une excuse qui justifierait l'état de ses vêtements et en même temps trouver un témoin qui puisse expliquer par la suite, comment cela était arrivé. Elle se posta donc sur le petit palier avec un vase de fleurs très lourd et plein d'eau. Bientôt, Miss Whittaker sortit de la salle à manger et vit son hôtesse avancer en hésitant et laisser tomber le vase dont elle avait pris soin de recevoir le contenu sur le devant de sa robe. Elle descendit les marches en courant, tout en se plaignant d'avoir perdu son précieux vase et après avoir donné à Miss Whittaker l'impression qu'elle avait vu ou cru voir quelqu'un ouvrant la porte de la bibliothèque.

— Joyce n'avait pas été témoin du meurtre, pourtant !

— Mrs. Drake l'ignorait. Mais elle avait soupçonné quelqu'un de se trouver dans le jardin le jour où elle et son complice transportaient le corps de l'étrangère pour le jeter dans le puits.

— Quand avez-vous su que c'était Miranda et non Joyce qui les avait vus ?

— Dès que la raison me força à me rendre à l'opinion générale affirmant que Joyce avait toujours été une petite menteuse. Je pensais donc à Miranda, la fillette qui passait de longues heures dans les bois de la carrière à observer les écureuils et les oiseaux et qui avait été, — c'est elle-même qui me l'apprit, — la meilleure amie de Joyce. Miranda ne se trouvant pas à la soirée, son amie sauta sur l'occasion pour parler d'un meurtre dont elle aurait été témoin des années plus tôt, cherchant sans doute à vous impressionner, madame, vous le célèbre écrivain de romans policiers.

— Rowena Drake... murmura Mrs. Oliver. Tout de même. Je n'arrive pas encore à le croire !

— Elle possédait toutes les qualités requises. Je me suis souvent demandé comment serait Lady Macbeth si elle devait se matérialiser. A présent, je crois que je le sais.

— Et Michael Garfield ? Iis ne semblaient pas former un couple assorti, ces deux-là !

— Une association insolite, en effet. Lady Macbeth et Narcisse.

— Lady Macbeth...

— C'était une belle femme, très compétente dans son rôle d'administratrice. Une actrice de premier ordre. Vous auriez dû la voir se lamenter sur la mort du petit Léopold et verser des larmes intarissables dans un mouchoir sec.

— C'est infâme ! Michael Garfield était-il amoureux d'elle ?

— Je doute que Michael Garfield ait jamais aimé quelqu'un d'autre que lui-même. Il voulait de l'argent, beaucoup d'argent. Peut-être nourrit-il, au début, l'illusion que Mrs. Llewellyn-Smythe rédigerait un testament en sa faveur ? La vieille dame n'était cependant pas le genre de personne à se laisser duper par les apparences.

— Mais à propos, et la falsification ? Je n'ai toujours pas compris ce qu'elle signifiait ?

— J'admets qu'au début, c'était assez compliqué. Mais en y réfléchissant bien, tout devient très clair. Il suffit de revenir sur les événements passés.

Le codicille affirmant que tous les biens de la vieille dame devaient revenir à l'étrangère, avait été si mal rédigé que n'importe quel notaire aurait flairé le piège en l'examinant d'un peu près. Il devait donc être contesté et après le verdict des experts, annulé. Le dernier testament de la vieille dame redevenait valable. Comme Mr. Drake était mort depuis peu, sa femme demeurait l'unique héritière de sa riche parente.

— Vous oubliez le codicille dont parla Mrs. Leaman.

— Je suppose que Mrs. Llewellyn-Smythe découvrit que sa nièce et son paysagiste étaient amants, probablement avant la mort d'Hugo, et que dans la colère que lui causa cette découverte, elle écrivit un codicille qui faisait de sa jeune fille « au pair » sa légataire universelle. Cette dernière apprit vraisemblablement la nouvelle à Michael qu'elle espérait épouser.

— Je croyais que c'était le jeune Ferrier qu'elle voulait épouser ?

— C'était là une hypothèse qui me fut soufflée par Michael. Personne ne me l'a confirmé.

— Mais s'il savait que la vieille dame avait écrit un codicille, pourquoi n'épousa-t-il pas Olga qui allait hériter de tout ?

— Parce qu'il prévoyait que la loi refuserait de reconnaître l'étrangère comme légataire universelle. Il existe une expression « suggérer un testament ». Mrs. Llewellyn-Smythe n'était plus très jeune, sa santé s'altérait, et préalablement elle avait écrit plusieurs testaments qui favorisaient ses proches, ses amis, quelques œuvres de charité, enfin le genre de document raisonnable, toujours reconnu légal par les tribunaux. Cette étrangère arrive et, sans avoir le moindre droit sur la fortune de sa patronne, prétend être son héritière. Le codicille, même authentique, aurait été difficilement enregistré. Je doute, de plus, qu'Olga se serait laissée influencer pour acheter une île grecque. Pour elle, Michael était le futur mari qui lui permettrait de demeurer en Angleterre. Rien de plus.

— Et Rowena Drake ?

— Elle, c'était différent. Elle était folle du paysagiste. Son mari avait été longtemps un invalide et bien qu'elle ne fût plus très jeune, elle possédait un caractère passionné. Un jour, elle rencontra un garçon d'une grande beauté, tomba éperdument amoureuse de lui. De son côté Michael Garfield, pour réaliser ses rêves extraordinaires, avait besoin d'argent, d'énormément d'argent. Quant à l'amour... Il était Narcisse. Je me souviens d'une chanson française que j'ai apprise il y a des années et qui dépeint bien Garfield.

Il fredonna doucement :
— « Regarde Narcisse
   Regarde dans l'eau
   Regarde Narcisse, comme tu es beau !
   Il n'y a au monde
   Que la Beauté
   Et la Jeunesse...
   « Hélas ! Et la Jeunesse...
   Regarde, Narcisse
   Regarde dans l'eau... »(1)
Mrs. Oliver déclara, outrée :

— Je ne puis croire, je ne puis vraiment croire que quelqu'un soit prêt à commettre de tels crimes pour réaliser son rêve de créer un jardin sur une île grecque !

— Vraiment ? C'est pourtant bien ce qui devait arriver. Garfield avait commencé par réaliser des jardins modestes, puis Quarry Wood, et brusquement il envisagea de posséder tout une île, et d'en faire un modèle de beauté. Rowena Drake et sa passion devaient lui servir à atteindre son but.

— Il voulait son île même au prix de s'embarrasser d'une femme autoritaire et dure ?

— Les accidents arrivent. Je n'aurais pas été surpris qu'un jour Mrs. Drake disparût à son tour.

— Un meurtre de plus ?

— Eh oui ! Tout a débuté très simplement. Il fallait qu'Olga meure parce qu'elle était au courant de l'existence d'un codicille. Morte, elle allait servir de bouc émissaire, méprisée et accusée d'avoir commis un faux. Le codicille authentique n'ayant pu être découvert dans la cachette que lui avait ménagée Mrs. Llewellyn-Smythe, Lesley Ferrier reçut de l'argent pour en écrire un nouveau tellement mal imité que les notaires comprirent tout de suite qu'il y avait supercherie. Cela scella l'arrêt de mort du garçon. Je compris assez vite que Ferrier n'avait pas dû avoir d'aventure avec Olga, une sugges-

(1). En Français dans le texte.

186

tion encore de Michael Garfield, et que l'argent trouvé à son compte en banque devait provenir du paysagiste. Au contraire, Garfield cherchait à capter l'affection d'Olga, conseillant à la jeune fille de taire leur liaison à quiconque et en particulier à sa maîtresse ; tout en faisant de vagues promesses de mariage à l'étrangère, il décidait froidement qu'elle serait la victime dont Mrs. Drake et lui auraient besoin si l'argent lui revenait. Il n'était pas nécessaire qu'Olga fût accusée d'avoir falsifié le codicille, ni qu'elle fût poursuivie en justice. Il suffisait qu'on la suspecte d'avoir forgé le document. Les soupçons ne manquèrent pas de pleuvoir sur elle. Ne savait-on pas dans le village que Mrs. Llewellyn-Smythe avait pour habitude de lui dicter son courrier en l'incitant à imiter son écriture et même sa signature ? Sa disparition soudaine devait d'ailleurs confirmer l'opinion publique ; pour tout le monde, elle s'était enfuie sa supercherie découverte. Donc, au moment jugé opportun, Olga Seminoff mourut. Quant à Lesley Ferrier, on pensa qu'il avait été attaqué par un gang de voyous auquel il était associé, ou puni par une femme jalouse qui voulait se venger de ses infidélités. Mais le couteau trouvé dans le puits avec le corps d'Olga devait être caché dans le voisinage, mais je n'avais aucun indice pouvant me guider jusqu'au moment où Miranda pria Michael Garfield de la mener au puits condamné et refusa. Un peu plus tôt, lorsque je demandai à Mrs. Goodbody où, à son avis, avait disparu l'étrangère, elle me répondit : « Ding dong dell, le chat est dans le puits. » Je sus alors avec certitude que le corps d'Olga était au fond du puits aux souhaits. Je découvris l'emplacement que je cherchais à proximité du cottage de Gharfield et je pensais que Miranda avait pu surprendre, cachée dans les bois, soit le meurtre soit le transport du cadavre. Mrs. Drake et Michael se doutèrent que quelqu'un les avait épiés, mais comme rien ne vint confirmer leurs soupçons, ils se sentirent rassurés. Ils échafaudèrent des projets sans se presser. Mrs. Drake commença à répandre la rumeur de son prochain départ de Woodleigh Common où trop de souvenirs se rattachant à son défunt époux lui pesaient. Tout marchait au mieux jusqu'au jour où... Joyce annonça avoir été témoin d'un meurtre. Mrs. Drake crut alors, qu'elle et Michael avaient été surpris pendant qu'ils transportaient le corps de leur victime dans les bois. Elle réagit presque sur-le-champ, mais ce ne devait pas être la fin de ses soucis. Le jeune Léopold décida brusquement de faire ses débuts dans le chantage. Il est impossible de préciser ce qu'il savait au juste, peut-être les deux complices le crurent-ils plus instruit qu'il ne l'était. Toutefois, ses incessantes demandes d'argent ne pouvaient durer. Donc,.. Léopold mourut à son tour.

— Je comprends que vous ayez suspecté Mrs. Drake à cause de l'incident concernant l'eau, mais comment en êtes-vous venu à soupçonner aussi Garfield ?

— La dernière fois que j'eus un entretien avec lui, au milieu de ses bois, il me dit quelque chose qui me força à beaucoup réfléchir. « Retire-toi, Satan. Retournez auprès de vos amis policiers. » Je réalisai brusquement que *ce devait être tout le contraire*. Je me suis dit : « Je *vous* laisse *derrière* moi, Satan. » Un Satan jeune et beau, qui aimait la beauté née de son imagination et de ses mains. Pour servir son ambition, il aurait tout sacrifié. Je crois qu'à sa façon, il aimait Miranda et pourtant, il était prêt à la tuer pour sauvegarder sa sécurité. Il apporta un soin méticuleux à mettre au point la manière dont elle devait mourir, changea sa mort en un sacrifice rituel et prépara sa victime à se prêter aux préliminaires. Elle devait le prévenir au cas où elle quitterait Woodleigh Common et il lui donna rendez-vous au pub *Black Boy* où vous aviez décidé de déjeuner, mesdames. Plus tard, Miranda aurait été retrouvée sur le plateau du Kelterbury Ring, prostrée, près d'un signe gravé dans la pierre, un gobelet d'or dans sa main crispée.

— Un fou... un fou à lier ! lança Mrs. Butler.

— Madame, votre fillette est en sécurité, mais... il y a quelque chose que j'aimerais savoir. Miranda est votre fille, mais *ne serait-elle pas aussi la fille de Michael Garfield*?

Mrs. Butler hésita avant de répondre par l'affirmative.

— La petite ne le sait pas ? enchaîna Poirot.

— Elle n'en a pas la moindre idée. J'avais fait la connaissance de Michael lorsque j'étais très jeune. Je tombai éperdûment amoureuse de lui, bien que j'en aie toujours eu peur.

— Peur ?

— Oui. Je ne saurais vous expliquer pourquoi. Il ne me fit aucun mal, et pourtant, il me terrorisait. Sa gentillesse dissimulait une dureté et une cruauté implacables. Je redoutais même sa passion pour la beauté et son désir de création. Je lui cachai que j'attendais un enfant de lui et je le quittai. Après la naissance de Miranda, j'inventai la tragédie d'un mari pilote mort dans un accident pour que les gens ne me posent pas trop de questions. Je changeai de domicile assez souvent et arrivai à Woodleigh Common plus ou moins par hasard. Je m'étais mise en contact avec quelques personnes de Medchester qui me trouvèrent un emploi de secrétaire.

Et puis, un jour, Michael arriva. Il devait travailler dans les bois de la carrière, mais je ne crois pas que sa présence me contraria. De son côté, il ne sembla pas troublé de me revoir. Notre aventure était oubliée depuis longtemps. Plus tard, bien que je sus à quel point Miranda aimait à se promener dans les bois, je commençai à m'inquiéter.

— Oui, coupa Poirot, il existait un lien entre eux, une affinité naturelle. J'ai remarqué leur ressemblance. Seulement, tandis que chez Garfiel la beauté cache une âme noire, chez Miranda, elle révèle une nature innocente et sage où le mal n'a pas de place.

Se rendant à son secrétaire, il prit une enveloppe de laquelle il tira un dessin au crayon délicatement tracé.

— Votre fille, annonça-t-il en tendant le portrait.

Judith Butler contempla le dessin qui portait la signature de Garfield.

— Il la croquait dans les bois de la carrière, expliqua Poirot parce qu'il voulait se souvenir d'elle. Il avait peur de l'oublier et cependant, il était prêt à la tuer.

Indiquant un mot tracé finement, dans un angle du papier, il demanda :

— Pouvez-vous lire ceci ?

Mrs. Butler épela lentement :

— Iphigénie.

— Oui, Iphigénie. Agamemnon sacrifia sa fille dans l'espoir d'obtenir les vents favorables qui pousseraient ses navires vers Troie. Garfield aurait sacrifié sa fille pour pouvoir obtenir un nouvel Eden.

— Il savait donc ce qu'il faisait.

Poirot ne répondit pas. Dans son esprit se dressa l'image d'un jeune homme d'une beauté exceptionnelle, étendu auprès d'une pierre mégalithique marquée d'une hache à deux tranchants et tenant encore entre ses doigts raidis la coupe dorée qu'il avait saisie et portée à ses lèvres lorsque le destin était intervenu pour sauver sa victime et le livrer à la justice.

Poirot se pencha sur la main de Judith Butler et la baisa.

— Au revoir, madame. Rappelez-moi au souvenir de votre fille.

— Elle se rappellera toujours celui à qui elle doit tant.

— Certains souvenirs doivent être ensevelis et oubliés.

S'approchant de Mrs. Oliver, il conclut :

— Bonsoir, chère madame. Lady Macbeth et Narcisse... Ce fut extrêmement intéressant. Je tiens à vous remercier de l'avoir signalé à mon attention...

— C'est cela — protesta Mrs. Oliver, indignée — rejetez-en la responsabilité sur moi, comme toujours !

Les Reines du Crime

Nouvelles venues ou spécialistes incontestées, les grandes dames du roman policier dans leurs meilleures œuvres.

BRAND Christianna
1877 Narcose *(mars 87)*

CANNAN Joanna
1820 Elle nous empoisonne

EBERHARDT Mignon
1825 Ouragan

KALLEN Lucille
1816 Greenfield connaît la musique
1836 Quand la souris n'est pas là...

LONG Manning
1831 On a tué mon amant
1844 L'ai-je bien descendue ?

McCLOY Helen
1841 En scène pour la mort
1855 La vérité qui tue

MILLAR Margaret
 723 Son dernier rôle
1845 La femme de sa mort

MOYES Patricia
1824 La dernière marche
1856 Qui a peur de Simon Warwick ?
1865 La mort en six lettres

NATSUKI Shizuko
1861 Meurtre au mont Fuji

NIELSEN Helen
1873 Pas de fleurs d'oranger *(fév. 87)*

RENDELL Ruth
1451 Qui a tué Charlie Hatton ? *(fév. 87)*
1521 Le pasteur détective *(avril 87)*
1629 La banque ferme à midi *(juin 87)*
1806 Son âme au diable
1815 Morts croisées
1834 Une fille dans un caveau
1851 Et tout ça en famille...
1866 Les corbeaux entre eux

RICE Craig
1835 Maman déteste la police
1862 Justus, Malone & Co
1870 Malone et le cadavre en fuite
                                    (janv. 87)
1881 Malone est à la noce *(avril 87)*

RUTLEDGE Nancy
1830 La femme de César

SEELEY Mabel
1871 D'autres chats à fouetter *(janv. 87)*
1885 Il siffle dans l'ombre *(mai 87)*

SIMPSON Dorothy
1852 Feu le mari de madame

THOMSON June
1857 Finch se jette à l'eau
1886 Plus rude sera la chute *(mai 87)*

IMPRIMÉ EN FRANCE PAR BRODARD ET TAUPIN
Usine de La Flèche (Sarthe).
ISBN : 2 - 7024 - 0011 - 6
ISSN : 0768 - 0384

H 31/0247/2